#홈스쿨링
#초등 영어 문법 기초력

**똑똑한
하루
Grammar**

똑똑한 하루 Grammar
시리즈 구성 Level 1~4

Level 1 A, B
3학년 영어

Level 2 A, B
4학년 영어

Level 3 A, B
5학년 영어

Level 4 A, B
6학년 영어

똑똑한 하루 Grammar만의

똑똑한 부가 자료

책 속 부록

온라인 자료

문법 예문

QR

▷ QR코드를 스캔하여 편리하게 음원을 들으며 학습하세요.

추가 활동지

▷ 다양한 추가 활동지를 book.chunjae.co.kr 에서 다운 받으세요.

똑똑한
하루
Grammar

4주 완성 스케줄표

🌟 공부한 날짜를 써 봐!

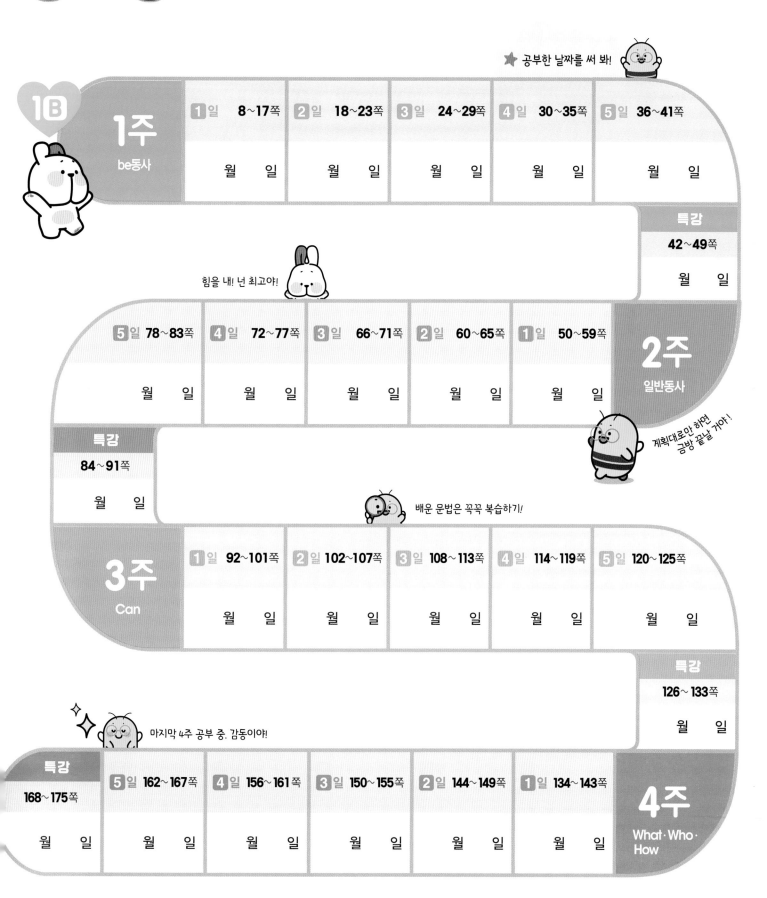

1B

1주
be동사

1일 8~17쪽	2일 18~23쪽	3일 24~29쪽	4일 30~35쪽	5일 36~41쪽
월 일	월 일	월 일	월 일	월 일

특강
42~49쪽
월 일

힘을 내! 넌 최고야!

5일 78~83쪽	4일 72~77쪽	3일 66~71쪽	2일 60~65쪽	1일 50~59쪽
월 일	월 일	월 일	월 일	월 일

2주
일반동사

계획대로만 하면 금방 끝날 거야!

특강
84~91쪽
월 일

배운 문법은 꼭꼭 복습하기!

3주
Can

1일 92~101쪽	2일 102~107쪽	3일 108~113쪽	4일 114~119쪽	5일 120~125쪽
월 일	월 일	월 일	월 일	월 일

특강
126~133쪽
월 일

마지막 4주 공부 중. 감동이야!

특강
168~175쪽
월 일

5일 162~167쪽	4일 156~161쪽	3일 150~155쪽	2일 144~149쪽	1일 134~143쪽
월 일	월 일	월 일	월 일	월 일

4주
What·Who·How

Chunjae
Makes
Chunjae

▼

똑똑한 하루 Grammar 1B

편집개발	이명진, 김희윤, 한새미, 윤미영
디자인총괄	김희정
표지디자인	윤순미, 이주영
내지디자인	박희춘, 이혜진
제작	황성진, 조규영

발행일	2021년 11월 15일 초판 2022년 10월 1일 2쇄
발행인	(주)천재교육
주소	서울시 금천구 가산로9길 54
신고번호	제2001-000018호
고객센터	1577-0902

똑 똑 한

하루
Grammar

3학년 영어

1 B

똑똑한 하루 Grammar ★ LEVEL 1 B ★
구성과 활용 방법

한 주 미리보기

미리보기 활동

미리보기 만화

문법
1~4일

step 1

재미있는 만화를 읽으며
오늘 공부할 문법을 만나요.

step 2

문법 설명과 예문을 읽으면서 들은 후 따라 써요.

step 3

공부한 문법을 문제로 확인해요.

5일

step 1

재미있는 만화를 읽으며
한 주 동안 공부한 문법을 복습해요.

step 2

사진 또는 그림으로 공부한 문법을 떠올리며
문제를 풀어요.

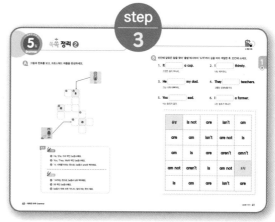

step 3

공부한 문법을 흥미로운 활동형 문제로 복습하며
확인해요.

Brain Game Zone

한 주 동안 배운 내용을 창의·사고력 게임으로
재미는 두배, 사고력은 UP!

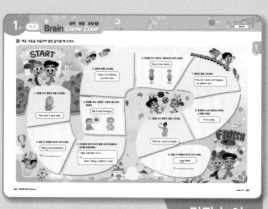

말판 놀이

창의·사고력 게임

★ LEVEL 1 B ★

일	단원명	쪽수
1일	I Can Swim	96
2일	I Cannot Dance	102
3일	Can You Skate?	108
4일	Can You Jump? – Yes, I Can	114
5일	3주 복습	120
특강	누구나 100점 TEST & Brain Game Zone	126

3주
can

일	단원명	쪽수
1일	What, Who, How	138
2일	What Is It? Who Is She?	144
3일	What Is It? What Color Is It?	150
4일	How Are You? How Old Are You?	156
5일	4주 복습	162
특강	누구나 100점 TEST & Brain Game Zone	168

4주
What
Who
How

Grammar 용어 미리 보기

 be동사

be동사는 주어의 직업, 기분 등을 나타내는
동사로 am, are, is를 묶어 부르는 말이에요.

 일반동사

일반동사는 주어인 사람, 사물 등의
동작을 나타내는 말이에요.

 can

can은 일반동사 앞에 쓰이며
'할 수 있다'는 뜻이에요.

 What, Who, How

what, who, how는
무엇을, 누가, 어떻게 등에 대해
궁금한 것을 물을 때 쓰는 말이에요.

함께 공부할 친구들

지호 가수가 되고 싶은
의리파 친구

수지 마음 따뜻한 친절한 친구

다람 도토리를 좋아하는
개구쟁이 다람쥐

토리 다람이의 단짝 친구

1주에는 무엇을 공부할까? ①

재미있는 이야기로 이번 주에 공부할 내용을 알아보세요.

be동사

으악, 깜짝이야!
난 개구리가 무섭단 말이야.

나는 다람이야.
개구리가 아니라고.

개구리가 바닥에
글씨를 쓰고 있어.

다…람? 자기가
다람이라는 건가?

치약과 칫솔을
가리키는데?

이걸로
뭘 하려는
거지?

헉! 개구리가 아니고
다람이었잖아?

다람아, 무슨 일이
있었던 거야?

맞아.
나야, 나!

이번 주에는 '이다'라는 뜻을
나타내는 be동사를
공부해 보자.

A

◉ 선을 따라가며 주어와 짝꿍이 되는 be동사를 확인하세요.

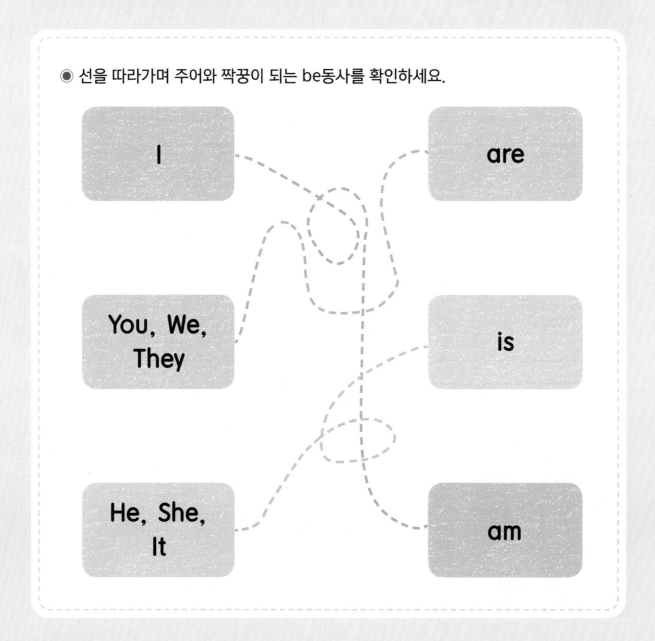

B

◉ 그림과 문장이 일치하면 ○, 일치하지 않으면 ×표를 하세요.

그는 비행사가 아니다. ☐

그들은 요리사들이 아니다. ☐

그녀는 가수가 아니다. ☐

답 × '× 'O

그녀는 가수이다
She Is a Singer

🎯 **재미있는 이야기로 오늘 배울 내용을 만나 보세요.**

주어	be동사
I	am
You We They	are
He She It	is

주어에 따라 달라지는 be동사를 알아보자.

✳️ 오늘은 무엇을 배울까요?

I am a cook.

나는 요리사이다.

You are doctors.

너희들은 의사들이다.

He is a pilot.

그는 비행사이다.

문법 쏙쏙

 눈 과 귀 로 익혀요

> be동사는 '(이)다'라는 뜻이에요. 주어에 따라 **am**, **are**, **is**로 달라져요.

I am a teacher.
나는 선생님이다.

She is a singer.
그녀는 가수이다.

They are farmers.
그들은 농부들이다.

> 여러 명이거나 여러 개일 때는 항상 are를 써야 해.

 손으로 익혀요 주어와 짝이 되는 be동사

I am a cook.
나는 / 이다 / 요리사.

We are pilots.
우리들은 / 이다 / 비행사들.

He is a doctor.
그는 / 이다 / 의사.

It is a cat.
그것은 / 이다 / 고양이.

그림을 보고, 알맞은 말에 동그라미 하세요.

1.

She is   She are

2.

It are   It is

3.

They am   They are

4.

I are   I am

B 단어를 읽고, 알맞은 짝에 ✔표 하세요.

1.

You   □ are
       □ is

2.

We   □ am
      □ are

3.

I   □ is
     □ am

4.

He   □ are
      □ is

실력 쏙쏙

A 그림을 보고, 알맞은 말을 골라 동그라미 하세요.

1.

   He (are / is) a teacher.

   그는 선생님이다.

2.

   We (are / am) doctors.

   우리들은 의사들이다.

3.

   I (am / are) a singer.

   나는 가수이다.

B 그림을 보고, 빈칸에 알맞은 말을 골라 문장을 완성하세요.

1.

   is
   are

   They _____ pilots.
   그들은 조종사들이다.

2.

   am
   is

   It _____ a dog.
   그것은 개이다.

C 주어에 알맞은 be동사(am, are, is)를 써서 문장을 완성하세요.

1.

You _____ a farmer.

너는 농부이다.

2.

She _____ a teacher.

그녀는 선생님이다.

3.

It _____ a cat.

그것은 고양이이다.

D 그림을 보고, 알맞은 말을 보기 에서 골라 문장을 완성하세요.

| 보기 | are | am | is |

1. I _____ a pilot.

나는 조종사이다.

2. He _____ a doctor.

그는 의사이다.

3. They _____ cooks.

그들은 요리사들이다.

우리들은 배고프지 않다
We Are Not Hungry

🎯 **재미있는 이야기로 오늘 배울 내용을 만나 보세요.**

약속 시간이 한참 지났는데 지호랑 수지는 왜 안 오지? 오늘은 내 생일인데….

째깍 째깍

다람아, 우리가 좀 늦었지? 미안해.

왜 이렇게 늦게 왔어?

흥!

엄청 배고파. 밥 먹으러 가자.

어쩌지? 우리는 배가 안 고픈데. **We are not hungry.**

꼬르륵

We are not hungry.에서 not이 무슨 뜻이야?

not은 '아니다'라는 부정의 의미야.

be동사인 am, are, is와 not을 함께 쓰면 '아니다, 않다'는 말이야.

We의 짝은 are니까, are 뒤에 not을 쓴 거지.

그럼 너희는 배가 안 고프다는 말이야?

응.

응.

알았어. 어쩔 수 없지.

토도닥

힘내.

주어가 I, You, We, They일 때
'아니다, 않다'라는 표현을 알아보자.

❄ 오늘은 무엇을 배울까요?

I am not happy.
나는 행복하지 않다.

They are not tired.
그들은 피곤하지 않다.

문법 쏙쏙

개념 읽는 QR

2

 로 익혀요

> 주어가 I, You, We, They일 때, be동사 am이나 are 뒤에 not을 쓰면 '아니다, 않다'라는 뜻이에요.

I am not happy.   나는 행복하지 않다.

You are not hungry.   너는 배고프지 않다.

> 먼저 be동사를 찾고, 그 뒤에 not을 쓰면 돼.

 로 익혀요   주어 I, You, We, They + be동사 am / are + not

I am not thirsty.
나는 / 않다 / 목마르지.

You are not sad.
너는 / 않다 / 슬프지.

We are not tired.
우리들은 / 않다 / 피곤하지.

They are not angry.
그들은 / 않다 / 화나지.

A 단어를 읽고, 알맞은 말에 동그라미 하세요.

1.
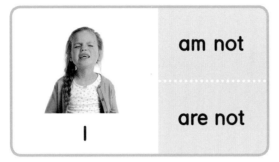
I

am not

are not

2.

They

am not

are not

3.
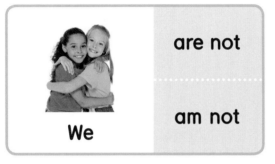
We

are not

am not

4.
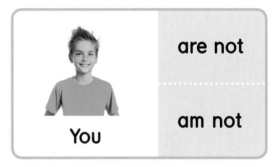
You

are not

am not

B 단어를 읽고, 알맞은 짝과 연결하세요.

1. We

2. You

3. I

4. They

are not

am not

실력 쏙쏙

A 그림을 보고, 알맞은 말에 ✔표 하세요.

1.

You ☐ are not ☐ not are happy.

너는 행복하지 않다.

2.

I ☐ am not ☐ not am hungry.

나는 배고프지 않다.

3.

They ☐ not are ☐ are not tired.

그들은 피곤하지 않다.

B 그림을 보고, 빈칸에 알맞은 말을 골라 문장을 완성하세요.

1.

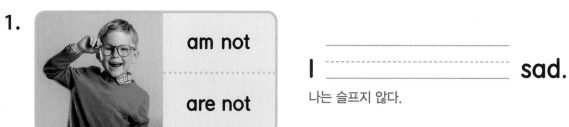

am not

are not

I _____ sad.

나는 슬프지 않다.

2.

am not

are not

We _____ angry.

우리들은 화나지 않았다.

C 주어진 단어와 not을 사용하여 우리말 뜻에 맞는 문장을 완성하세요.

1.

are

They _____ thirsty.

그들은 목마르지 않다.

2.

am

I _____ tired.

나는 피곤하지 않다.

3.

are

You _____ angry.

너희들은 화나지 않았다.

D 그림을 보고, 알맞은 말을 보기 에서 골라 not을 사용하여 문장을 완성하세요.

보기   are   am   are

1. I _____ hungry.

나는 배고프지 않다.

2. You _____ happy.

너는 행복하지 않다.

3. We _____ sad.

우리들은 슬프지 않다.

그는 나의 아빠가 아니다

He Is Not My Dad

🎯 재미있는 이야기로 오늘 배울 내용을 만나 보세요.

이제 마술 쇼를 시작합니다.
다람쥐 친구, 쓰고 있는 모자를 벗어 보세요.
안에 아무 것도 없죠?

모자를 썼다가 다시 벗어 보세요.
이번엔 그 안에 새가 있을 거예요.
수리수리 마수리~ 얍!

자, 이제 모자를 다시 벗어 보세요.

악! 이건 벌레잖아!

새가 아니라니, 이런 실수를….
It is not a bird.

주어가 He, She, It일 때 '아니다, 않다'라는 표현을 알아보자.

❄ 오늘은 무엇을 배울까요?

She is not my grandmother.
그녀는 나의 할머니가 아니다.

It is not a dog.
그것은 개가 아니다.

문법 쏙쏙

 귀로 익혀요

주어가 He, She, It일 때, be동사 is 뒤에 not을 쓰면 '아니다, 않다'라는 뜻이에요.

She is not my mom. 그녀는 나의 엄마가 아니다.

It is not a cat. 그것은 고양이가 아니다.

먼저 be동사를 찾고, 그 뒤에 not을 쓰면 돼.

 손으로 익혀요 주어 He, She, It + be동사 is + not

He is not my grandfather.
그는 / 아니다 / 나의 / 할아버지가.

It is not a mouse.
그것은 / 아니다 / 쥐가.

A is not과 함께 쓸 수 있는 주어를 모두 찾아 동그라미 하세요.

It   I

You   She

We

He   They

B 그림을 보고, 알맞은 말에 동그라미 하세요.

1.

| She are not | She is not |

2.

| It are not | It is not |

3.

| It is not | It are not |

4.

| He is not | He are not |

A 그림을 보고, 알맞은 말을 골라 동그라미 하세요.

1.

She (not is / is not) my grandmother.

그녀는 나의 할머니가 아니다.

2.

It (not is / is not) a mouse.

그것은 쥐가 아니다.

3.

He (is not / not is) my brother.

그는 나의 남자 형제가 아니다.

B 그림을 보고, 빈칸에 알맞은 말을 골라 문장을 완성하세요.

1.

am not

is not

He _____ my dad.

그는 나의 아빠가 아니다.

2.

is not

are not

She _____ my sister.

그녀는 나의 여자 형제가 아니다.

C 주어진 단어를 바르게 배열하여 문장을 완성하세요.

1.

| not | She | is |

_____ my mom.

그녀는 나의 엄마가 아니다.

2.

| is | not | He |

_____ my grandfather.

그는 나의 할아버지가 아니다.

3.

| It | not | is |

_____ a bird.

그것은 새가 아니다.

D 그림을 보고, is와 not을 사용하여 문장을 완성하세요.

1. It [_____] a dog.

그것은 개가 아니다.

2. She [_____] my sister.

그녀는 나의 여자 형제가 아니다.

3. He [_____] my brother.

그는 나의 남자 형제가 아니다.

그것은 컵이 아니다
It Isn't a Cup

🎯 **재미있는 이야기로 오늘 배울 내용을 만나 보세요.**

1
주

is not과 are not의
줄임말을 알아보자.

❄ 오늘은 무엇을 배울까요?

She isn't a doctor.
그녀는 의사가 아니다.

You aren't happy.
너희들은 행복하지 않다.

문법 쏙쏙

 눈과 귀로 익혀요

be동사 is, are가 not과 만나면 isn't, aren't로 줄여서 쓸 수 있어요.

He isn't a pilot.   그는 조종사가 아니다.

They aren't tomatoes.   그것들은 토마토들이 아니다.

am not은
줄여서 쓸 수 없어.

 손으로 익혀요   be동사 is / are + not의 줄임말

is not	are not
isn't	aren't

A 그림을 보고, 알맞은 말에 동그라미 하세요.

1.

| It aren't | It isn't |

2.

| I am not | I amn't |

3.

| She isn't | She aren't |

4.

| We aren't | We isn't |

B 단어를 읽고, 알맞은 짝에 ✔표 하세요.

1.

You
☐ isn't
☐ aren't

2.

He
☐ aren't
☐ isn't

3.

I
☐ am not
☐ amn't

4.

They
☐ isn't
☐ aren't

실력 쏙쏙

A 그림을 보고, 알맞은 말에 ✔표 하세요.

1.
She ☐ isn't ☐ aren't my mom.

그녀는 나의 엄마가 아니다.

2.
They ☐ isn't ☐ aren't teachers.

그들은 선생님들이 아니다.

3.
You ☐ aren't ☐ isn't sad.

너희들은 슬프지 않다.

B 그림을 보고, 빈칸에 알맞은 말을 골라 문장을 완성하세요.

1.
aren't

isn't

It _____ a tomato.

그것은 토마토가 아니다.

2.
am not

amn't

I _____ a farmer.

나는 농부가 아니다.

▶정답 4쪽

C 주어진 단어를 바르게 배열하여 문장을 완성하세요.

1. aren't | You

　　　　　　　　 a pilot.

너는 비행사가 아니다.

2. isn't | He

　　　　　　　　 thirsty.

그는 목마르지 않다.

3. We | aren't

　　　　　　　　 brothers.

우리들은 남자 형제가 아니다.

D 그림을 보고, 알맞은 말을 보기에서 골라 줄임말 형태로 바꾸어 문장을 완성하세요.

보기　 is not　　are not　　is not

1. She [　　　] sad.

그녀는 슬프지 않다.

2. It [　　　] a pig.

그것은 돼지가 아니다.

3. They [　　　] cooks.

그들은 요리사들이 아니다.

Level 1 B • 35

1주 복습

🎯 **재미있는 이야기로 한 주 동안 배운 내용을 복습해 보세요.**

 1일

다람아, 너는 항상 행복해 보여.

맞아, 나는 행복해. **I am happy.**

be동사 문장을 잘 썼구나. am, are, is는 '이다'는 뜻의 be동사로, 짝이 되는 주어와 함께 써야 해.

주어	be동사
I	am
You We They	are
He She It	is

2일

글쎄, 아까 누가 나한테 쥐냐고 묻더라고!

그래서 뭐라고 대답했는데?

'아니다, 않다'라고 하려면 be동사 뒤에 not을 붙이잖아.

You are not a mouse. 그런데 다람쥐도 쥐 아니야? 킥킥.

그래서 **I am not a mouse.** 라고 했지.

★핵심 정리★

I am not
You are not
We are not
They are not

3일

저기 좀 봐!
돼지가 산책을
하고 있어.

띵?

졸
졸

It is not a pig.
돼지가 아니라
개잖아?

하하,
돼지 옷을 입고 있네.
be동사인 is 뒤에
not을 붙여
잘 표현했구나.

짜 잔~

★핵심 정리★

He is not
She is not
It is not

4일

아함

지호한테
무슨 일이 있어?
슬퍼하고 있어.

빙

?

He isn't sad.
하품해서
눈물이 난 걸 거야.
졸려 보였거든.

isn't?

is not은 isn't로,
are not은 aren't로
줄여서 쓸 수 있지.

쏙쏙 정리 ①

A 그림을 보고, 알맞은 be동사(am, are, is)를 써서 문장을 완성하세요.

1.

We [   ] singers.

우리들은 가수들이다.

2.

He [   ] my brother.

그는 나의 남자 형제이다.

B 알맞은 말을 골라 우리말 뜻과 일치하도록 문장을 완성하세요.

1.

☐ are not

☐ am not

I _____ a pilot.

나는 비행사가 아니다.

2.

☐ isn't

☐ aren't

She _____ hungry.

그녀는 배고프지 않다.

C 그림을 보고, 주어진 말을 바르게 배열하여 문장을 쓰세요.

1.

| cook | He | a | is |

그는 요리사이다.

2.

| are | You | sad | not |

너는 슬프지 않다.

D 밑줄 친 부분을 바르게 고쳐 문장을 다시 쓰세요.

1.

It <u>aren't</u> a bat.　그것은 야구 방망이가 아니다.

2.

They <u>is</u> tomatoes.　그것들은 토마토들이다.

3.

I <u>amn't</u> thirsty.　나는 목마르지 않다.

쏙쏙 정리 ❷

A 그림과 힌트를 보고, 크로스워드 퍼즐을 완성하세요.

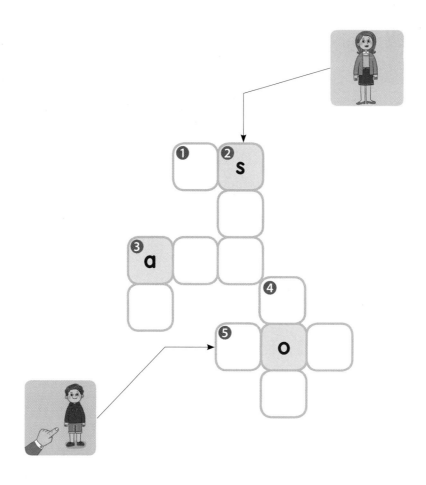

힌트

🔑 가로

❶ He, She, It과 짝인 be동사예요.

❸ You, They, We와 짝인 be동사예요.

❺ '너, 너희들'이라는 뜻으로, be동사 are와 짝이에요.

🔑 세로

❷ '그녀'라는 뜻으로, be동사 is와 짝이에요.

❸ I와 짝인 be동사예요.

❹ be동사 뒤에 쓰면 '아니다, 않다'라는 뜻이 돼요.

B 빈칸에 알맞은 말을 찾아 '출발'에서부터 '도착'까지 길을 따라 색칠한 후, 빈칸에 쓰세요.

1. It [   ] a cup.

그것은 컵이 아니다.

2. I [   ] thirsty.

나는 목마르다.

3. He [   ] my dad.

그는 나의 아빠이다.

4. They [   ] teachers.

그들은 선생님들이다.

5. You [   ] sad.

너는 슬프지 않다.

6. I [   ] a farmer.

나는 농부가 아니다.

출발	is not	are	isn't	am
are	am	isn't	are not	is
am	is	are	aren't	amn't
am not	aren't	is	am not	도착
is	am	are	isn't	are

1 단어를 읽고 알맞은 be동사에 연결하세요.

(1)

It

am

(2)

I

are

(3)

They

is

2 주어와 be동사가 바르게 짝 지어진 것을 <u>고르세요</u>.

① I – is

② You – are

③ He – am

④ It – are

3 그림을 보고 빈칸에 알맞은 말을 고르세요.

She _____ my sister.

① be   ② is

③ am   ④ are

4 그림을 보고 알맞은 문장을 고르세요.

① It is hungry.

② It is not hungry.

③ We are hungry.

④ We are not hungry.

5 밑줄 친 부분을 우리말에 알맞게 고친 것을 고르세요.

> **I am a singer.**
>
> 나는 가수가 아니다.

① am not

② amn't

③ aren't

④ isn't

6 우리말 뜻에 알맞은 문장을 고르세요.

> 너희들은 의사들이다.

① You am doctors.

② You is doctors.

③ You are doctors.

④ You are not doctors.

7 그림을 보고 알맞은 말을 골라 쓰세요.

It ＿＿＿＿＿＿＿ a tomato.
　　(is / am)

8 그림을 보고 단어를 바르게 배열하여 문장을 쓰세요.

＿＿＿＿＿＿＿＿＿＿＿＿＿＿＿

(are / They / farmers / .)

🧩 배운 내용을 떠올리며 말판 놀이를 해 보세요.

START

1. 그림을 보고 알맞은 말을 고르세요.

You (am / are) sad.

2. 밑줄 친 부분을 바르게 고쳐 쓰세요.

We is not teachers.

➡ _____

3. 우리말에 맞게 주어진 말을 바르게 배열하여 문장을 완성하세요.

그들은 조종사들이 아니다.

➡ _____.
(are / They / pilots / not)

4. 문장을 읽고 알맞은 그림에 동그라미 하세요.

He is not hungry.

5. 알맞은 말을 고르세요.

I (am / is) thirsty.
나는 목이 마르다.

6. 문장을 읽고 알맞은 그림에 동그라미 하세요.

She is my mom.

7. 알맞은 말을 고르세요.

You (is / are) not happy.
너는 행복하지 않다.

8. 문장에서 not이 들어갈 위치에
✔표를 하세요.

It is a pig.

9. 그림을 보고 알맞은 말을 고르세요.

She (is / are) a singer.

10. 밑줄 친 부분을 바르게 고쳐 쓰세요.

I are tired.

➡ _____

A be동사가 마법 모자 안의 주어를 만나면 주어에 맞는 모양으로 바뀌어요. 단서 를 보고 알맞은 be동사를 쓰세요.

단서

be동사

↓

I

↓

a m

1.

be동사

↓

She

↓

◯◯

2.

be동사

↓

You

↓

◯◯◯

B 다람이가 암호 표를 남겼어요. 단서 를 보고 암호를 풀어 문장을 다시 쓰세요. (필요하면 소문자를 대문자로 바꾸어 쓰세요.)

단서

♣	☆	◎	△	♠	♡	◈	◐	▼	◇
i	o	n	w	s	a	h	e	t	r

1. ♣▼ ♣♠ an apple. ➡

2. △◐ ♡◇◐ cooks. ➡

3. ◈◐ ♣♠ ◎☆▼ hungry. ➡

C 토리가 다람이를 만나려면 징검다리를 건너야 해요. 주어와 be동사가 일치하면 YES, 일치하지 않으면 NO를 따라가세요.

출발

I am thirsty.

YES

You am pilots.

YES

He is hungry.

NO

NO

YES

She is a farmer.

NO

He is a teacher.

YES

It is a cup.

YES

NO

NO

YES

NO

YES

You are happy.

YES

We is hungry.

NO

She are tired.

도착

Step A

다음 중 알맞은 알파벳을 골라 단어를 완성하세요.

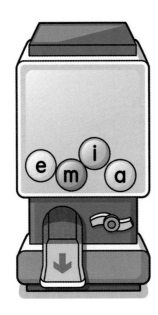

1.
I a ☐

2.
They ☐ r ☐

3.
It ☐ s

Step B

Step A 의 어구를 사용하여 문장을 완성하세요.

1.
_____ happy.

나는 행복하다.

2.
_____ not cups.

그것들은 컵들이 아니다.

3.
_____ not a dog.

그것은 개가 아니다.

Step C

힌트 를 참고하여 거울에 비친 단어나 어구를 바르게 써서 문장을 완성하세요.

1.
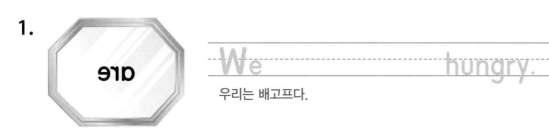

We _____ hungry.

우리는 배고프다.

2.
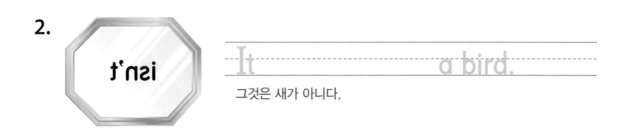

It _____ a bird.

그것은 새가 아니다.

3.
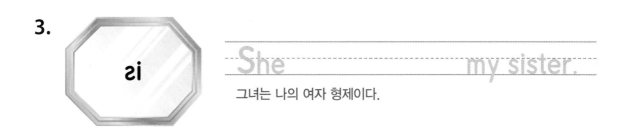

She _____ my sister.

그녀는 나의 여자 형제이다.

4.
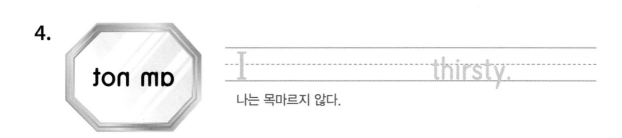

I _____ thirsty.

나는 목마르지 않다.

2주에는 무엇을 공부할까? ①

🎁 재미있는 이야기로 이번 주에 공부할 내용을 알아보세요.

일반동사

2주차 공부할 내용

1일 ~ 4일 일반동사 공부   5일 2주 복습

2주

2주에는 무엇을 공부할까? ❷

A

◉ 다음 중 동작을 나타내는 말에 동그라미 하세요.

점프하다

토마토

노래하다

피곤한

컵

 답 ▶ 점프하다, 노래하다

내 미모의 비결을 알려 줄까?

미모를 유지하기 위해 나는 패스트푸드를 절대 먹지 않아.

그리고 매일 아침에 사과를 먹지.

◉ 여러분이 해당하는 문장에 동그라미 하세요.

나는 일찍 일어난다. ☐

나는 일찍 일어나지 않는다. ☐

나는 빠르게 걷는다. ☐

나는 빠르게 걷지 않는다. ☐

나는 학교에 간다. ☐

나는 학교에 가지 않는다. ☐

너는 춤을 잘 춘다

You Dance Well

🎯 **재미있는 이야기로 오늘 배울 내용을 만나 보세요.**

2
주

동작을 나타내는
일반동사를 알아보자.

✳ 오늘은 무엇을 배울까요?

I sing well.

나는 노래를 잘한다.

They like apples.

그들은 사과를 좋아한다.

문법 쏙쏙

개념 읽는 QR
5

눈과 귀로 익혀요

일반동사는 주어의 동작을 나타내요.
주어 I, You, We, They 다음에 일반동사를 쓰면 '~하다'라는 뜻이에요.

I eat bananas. 나는 바나나를 먹는다.

They like carrots. 그것들은 당근을 좋아한다.

am, are, is를 제외한
모든 동사가 일반동사야.

 손으로 익혀요 주어 I, You, We, They + 일반동사

I have a pen.
나는 / 가지고 있다 / 펜을.

You sing well.
너는(너희들은) / 노래한다 / 잘.

We drink water.
우리들은 / 마신다 / 물을.

They walk fast.
그들은 / 걷는다 / 빠르게.

▶정답 8쪽

 그림을 보고, 알맞은 일반동사에 동그라미 하세요.

1.

are

dance

2.

have

is

3.

is

drink

4.
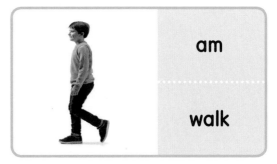
am

walk

2
주

 동작을 나타내는 일반동사를 모두 찾아 동그라미 하세요.

am It sing

drink is

We eat

실력 쏙쏙

A 그림을 보고, 알맞은 말에 ✔표 하세요.

1.
I ☐ like ☐ am tomatoes.

나는 토마토를 좋아한다.

2.
They ☐ are ☐ sing well.

그들은 노래를 잘한다.

3.
You ☐ walk ☐ is fast.

너는 빠르게 걷는다.

B 그림을 보고, 빈칸에 알맞은 말을 골라 문장을 완성하세요.

1.
eat

am

I _____ an apple.

나는 사과를 먹는다.

2.
are

drink

We _____ milk.

우리들은 우유를 마신다.

C 주어진 단어를 바르게 배열하여 문장을 완성하세요.

1.

| have | You |

_____ flags.

너희들은 깃발들을 가지고 있다.

2.

| We | walk |

_____ fast.

우리들은 빠르게 걷는다.

3.

| dance | I |

_____ well.

나는 춤을 잘 춘다.

D 그림을 보고, 알맞은 말을 보기 에서 골라 문장을 완성하세요.

보기   have   drink   eat

1. I [_____] water.

나는 물을 마신다.

2. You [_____] a dog.

너는 개를 가지고 있다.

3. They [_____] pizza.

그들은 피자를 먹는다.

그는 빠르게 달린다
He Runs Fast

🎯 **재미있는 이야기로 오늘 배울 내용을 만나 보세요.**

단, 일반동사가 -o, -x, -s, -ch, -sh로 끝나면 -es를 붙여야 해.

그럼 run에는 -s를, go에는 -es를 붙이면 되겠네.

run ⟨ s ⟩ 탁 탁

go ⟨ es ⟩

2주

저기 다람쥐 학교가 있어! 다람이는 학교에 가는 거였어! **He goes to school.**

다람쥐 학교

다 다 다 다

그런데 왜 우리에게 비밀로 하는 걸까?

힘 내라!

이런.... 다시 해 보자.

쿵!

얏!

보충 수업에 다니나 봐. 그래서 비밀로 한 거구나.

다람이가 창피해 하지 않게 비밀을 지켜 주자!

쉿!

주어가 He, She, It일 때 일반동사가 어떻게 변하는지 알아보자.

✳ 오늘은 무엇을 배울까요?

He eats bread.

그는 빵을 먹는다.

It catches a ball.

그것은 공을 잡는다.

문법 쏙쏙

눈과 귀로 익혀요

주어 **He, She, It** 다음에 오는 일반동사의 끝에는 대부분 **-s**를 붙여요.

일반동사가 **-o, -x, -s, -ch, -sh**로 끝나면 **-es**를 붙여요.

He makes a pizza. 그는 피자를 만든다.

She watches TV. 그녀는 TV를 본다.

> 주어와 일반동사를 확인하고
> -s 또는 -es를 붙여야 해.

손으로 익혀요 주어 He, She, It + 일반동사

-s	**drink ➡ drinks** 마시다	**eat ➡ eats** 먹다
-es	**teach ➡ teaches** 가르치다	**wash ➡ washes** 씻다

A 그림을 보고, 알맞은 말에 동그라미 하세요.

1.

He washes | He washs

2.

It runs | It runes

3.

It eates | It eats

4.

She catchs | She catches

B 단어를 읽고, 알맞은 짝에 ✔표 하세요.

1.

She
- dance
- dances

2.

He
- watchs
- watches

3.

It
- goes
- gos

4.

She
- makes
- make

실력 쏙쏙

A 그림을 보고, 알맞은 말을 골라 동그라미 하세요.

1.

   He (make / makes) a doll.

   그는 인형을 만든다.

2.

   It (eats / eat) bread.

   그것은 빵을 먹는다.

3.

   She (goes / gos) to school.

   그녀는 학교에 간다.

B 그림을 보고, 빈칸에 알맞은 말을 골라 문장을 완성하세요.

1.

   runs

   runes

   It _____ fast.

   그것은 빠르게 달린다.

2.

   dances

   dance

   He _____ well.

   그는 춤을 잘 춘다.

C 주어진 단어를 알맞은 형태로 바꾸어 문장을 완성하세요.

1.

| wash |

She _____ her hands.

그녀는 그녀의 손을 씻는다.

2.

| drink |

It _____ milk.

그것은 우유를 마신다.

3.

| teach |

He _____ English.

그는 영어를 가르친다.

D 그림을 보고, 알맞은 말을 보기 에서 골라 알맞은 형태로 바꾸어 문장을 완성하세요.

보기　catch　　drink　　make

1. She [　　　　　] a pizza.

그녀는 피자를 만든다.

2. He [　　　　　] water.

그는 물을 마신다.

3. It [　　　　　] a ball.

그것은 공을 잡는다.

나는 채소를 먹지 않는다

I Do Not Eat Vegetables

🎯 **재미있는 이야기로 오늘 배울 내용을 만나 보세요.**

어서 와! 너희들에게 주려고 피자를 만들었단다.

와아!

배고프지? 자, 많이 먹으렴.

짜잔~

삐질

채소가 이렇게 많다니…. 나는 채소를 안 먹는데. I not eat vegetables.

영어로 '~하지 않는다'고 표현할 때는 do not의 도움이 필요해.

조잘조잘

주어가 I, You, We, They일 때는 일반동사 앞에 do not을 붙이거든. 이때 일반동사는 원래 모양 그대로 써.

| I, You, We, They | + | do not | + | 일반동사 |

아하, 그럼 **I do not eat vegetables.**

그런데 나도 채소를 잘 안 먹어.

톡 톡 톡

사실은 나도.

혁, 이 채소들은 다 뭐니?

저희들이 채소를 안 좋아해서요. **We do not like vegetables.**

수북~

그래서 채소를 모두 빼고 먹은 거니? 토마토는 다 먹었네?

2 주

채소는 싫은데, 토마토는 과일이잖아요.

토마토는 줄기 식물에서 열리기 때문에 채소란다. 너희들도 사실 채소를 좋아하는구나.

토마토가 채소였다니.

띠로리~

'~하지 않는다'라는 뜻의 do not을 알아보자.

❄ 오늘은 무엇을 배울까요?

You do not drink juice.

너는 주스를 마시지 않는다.

They do not play basketball.

그들은 농구를 하지 않는다.

개념 읽는 QR
7

 눈 과 **귀** 로 익혀요

주어가 **I, You, We, They**일 때 일반동사 앞에 **do not**을 쓰면 '~하지 않는다'는 뜻이에요.

I do not read books. 나는 책을 읽지 않는다.

They do not drink milk. 그들은 우유를 마시지 않는다.

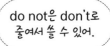 do not은 don't로 줄여서 쓸 수 있어.

 손으로 익혀요 주어 I, You, We, They + do not + 일반동사

I do not have a pen.
나는 / 가지고 있지 않다 / 펜을.

You do not like pizza.
너는(너희들은) / 좋아하지 않는다 / 피자를.

We do not play soccer.
우리들은 / 하지 않는다 / 축구를.

They do not watch TV.
그들은 / 보지 않는다 / TV를.

▶정답 10쪽

A do not과 함께 쓸 수 있는 주어를 모두 찾아 동그라미 하세요.

B 그림을 보고, 알맞은 말에 ✔표 하세요.

1.

먹지 않는다

□ not do eat

□ do not eat

2.

마시지 않는다

□ not do drink

□ do not drink

3.

좋아하지 않는다

□ do not like

□ not do like

실력 쏙쏙

A 그림을 보고, 알맞은 말에 ✓표 하세요.

1.

I ☐ do not ☐ not do watch TV.

나는 TV를 보지 않는다.

2.

They ☐ not do ☐ do not eat carrots.

그들은 당근을 먹지 않는다.

3.

You ☐ do not ☐ not do like dogs.

너는 개를 좋아하지 않는다.

B 그림을 보고, 빈칸에 알맞은 말을 골라 문장을 완성하세요.

1.

do not

not do

I _____ drink milk.

나는 우유를 마시지 않는다.

2.

not do

do not

We _____ read books.

우리들은 책을 읽지 않는다.

C 주어진 단어와 do not을 사용하여 우리말 뜻에 맞는 문장을 완성하세요.

1.
have

I _____ a pen.

나는 펜을 가지고 있지 않다.

2.
play

We _____ baseball.

우리들은 야구를 하지 않는다.

3.
watch

You _____ TV.

너희들은 TV를 보지 않는다.

D 그림을 보고, 알맞은 말을 보기에서 골라 알맞은 형태로 바꾸어 문장을 완성하세요.

보기   eat   read   drink

1. I do [_____] books.

나는 책을 읽지 않는다.

2. You do [_____] juice.

너는 주스를 마시지 않는다.

3. They do [_____] bread.

그들은 빵을 먹지 않는다.

그녀는 연필을 가지고 있지 않다

She Does Not Have a Pencil

🎯 **재미있는 이야기로 오늘 배울 내용을 만나 보세요.**

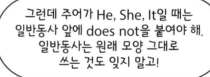

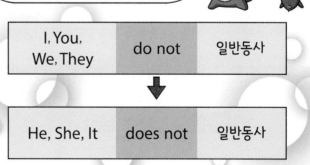

I, You, We, They	do not	일반동사

He, She, It	does not	일반동사

주어가 He, She, It일 때
do not이 어떻게 변하는지 알아보자.

❄ 오늘은 무엇을 배울까요?

She does not like dogs.
그녀는 개를 좋아하지 않는다.

It does not eat vegetables.
그것은 채소를 먹지 않는다.

문법 쏙쏙

 눈과 귀로 익혀요

주어가 He, She, It일 때 일반동사 앞에 **does not**을 쓰면 '~하지 않는다'는 뜻이에요.

He does not like cats. 그는 고양이를 좋아하지 않는다.

It does not catch balls. 그것은 공을 잡지 않는다.

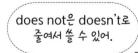 does not은 doesn't로 줄여서 쓸 수 있어.

 손으로 익혀요 주어 He, She, It + does not + 일반동사

She does not have an eraser.

그녀는 / 가지고 있지 않다 / 지우개를.

It does not eat apples.

그것은 / 먹지 않는다 / 사과를.

A does not과 함께 쓸 수 있는 주어를 모두 찾아 동그라미 하세요.

B 단어를 읽고, 알맞은 짝에 ✔표 하세요.

1.

It

☐ do not

☐ does not

2.

She

☐ does not

☐ do not

3.

He

☐ does not

☐ do not

4.

It

☐ do not

☐ does not

실력 쏙쏙

 A 그림을 보고, 알맞은 말을 골라 동그라미 하세요.

1.

She (does not / not does) have a ruler.

그녀는 자를 가지고 있지 않다.

2.

It (not does / does not) catch balls.

그것은 공을 잡지 않는다.

3.

He (not does / does not) read books.

그는 책을 읽지 않는다.

B 그림을 보고, 빈칸에 알맞은 말을 골라 문장을 완성하세요.

1.

do not

does not

She _____ play tennis.

그녀는 테니스를 하지 않는다.

2.

do not

does not

He _____ like milk.

그는 우유를 좋아하지 않는다.

C 주어진 단어와 does not을 사용하여 우리말 뜻에 맞는 문장을 완성하세요.

1. eat

It _____ bananas.

그것은 바나나를 먹지 않는다.

2. read

She _____ books.

그녀는 책을 읽지 않는다.

3. have

He _____ a pencil.

그는 연필을 가지고 있지 않다.

D 그림을 보고, 알맞은 말을 보기 에서 골라 알맞은 형태로 바꾸어 문장을 완성하세요.

보기   like   play   watch

1. He does _____ soccer.

그는 축구를 하지 않는다.

2. It does _____ birds.

그것은 새를 좋아하지 않는다.

3. She does _____ TV.

그녀는 TV를 보지 않는다.

2주 복습

🎯 **재미있는 이야기로 한 주 동안 배운 내용을 복습해 보세요.**

1일

2일

3일

새들아, 너희도 초콜릿 좀 먹어.

수지야, 새들은 초콜릿을 안 먹어. **They do not eat chocolate.** 일반동사 앞에 do not을 붙이면 '~하지 않는다'는 뜻이지.

자기들은 초콜릿을 안 먹으니 내가 대신 먹으라고 전해 달래.

못 말려.

4일

She does not like flowers.

수지가 갑자기 왜 저러지?

주어가 He, She, It일 때 '~하지 않는다'는 뜻의 does not을 일반동사 앞에 붙였네.

그녀는 꽃을 좋아하지 않는다는 뜻이구나.

에, 에취! 꽃가루 알러지가 또….

쏙쏙 정리 ①

A 그림을 보고, 주어진 단어를 이용하여 문장을 완성하세요.

1.

I [ ] a doll.

나는 인형을 만든다.

make

2.

She [ ] tomatoes.

그녀는 토마토를 좋아한다.

like

B 알맞은 말을 골라 우리말 뜻과 일치하도록 문장을 완성하세요.

1.

☐ do not

☐ does not

They _____ read books.

그들은 책을 읽지 않는다.

2.

☐ watchs

☐ watches

He _____ TV.

그는 TV를 본다.

C 그림을 보고, 주어진 말을 바르게 배열하여 문장을 쓰세요.

1.

| juice | She | drinks |

그녀는 주스를 마신다.

2.

| play | We | basketball |

우리들은 농구를 한다.

D 밑줄 친 부분을 바르게 고쳐 문장을 다시 쓰세요.

1.

He <u>go</u> to school. 그는 학교에 간다.

2.

You <u>eats</u> bread. 너는 빵을 먹는다.

3.

It <u>do</u> not run fast. 그것은 빠르게 달리지 않는다.

쏙쏙 정리 2

A 그림과 힌트를 보고, 크로스워드 퍼즐을 완성하세요.

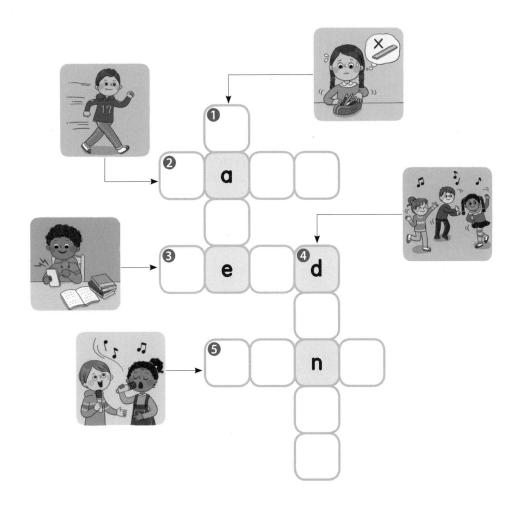

힌트

🔑 가로

② You _____ fast.
너는 빠르게 걷는다.

③ I do not _____ books.
나는 책을 읽지 않는다.

⑤ We _____ well.
우리들은 노래를 잘한다.

🔑 세로

① She does not _____ a ruler.
그녀는 자를 가지고 있지 않다.

④ They _____ well.
그들은 춤을 잘 춘다.

▶정답 12쪽

B 주어가 He, She, It일 때 주어진 단어가 바뀌는 형태를 퍼즐 속에서 찾아 동그라미 한 뒤, 빈칸에 쓰세요.

1. go ➡ [＿＿＿＿＿]　　　2. eat ➡ [＿＿＿＿＿]

3. like ➡ [＿＿＿＿＿]　　　4. watch ➡ [＿＿＿＿＿]

5. wash ➡ [＿＿＿＿＿]　　　6. run ➡ [＿＿＿＿＿]

e	l	i	k	e	s	r	u
r	t	d	g	w	a	h	c
u	j	x	e	a	t	s	e
n	y	b	f	t	z	l	m
s	o	p	h	c	i	g	d
f	w	a	s	h	e	s	o
q	i	k	b	e	v	t	k
s	g	o	e	s	n	w	c

1 그림을 보고 알맞은 말에 연결하세요.

(1)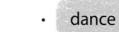

・ ・ dance

(2)

・ ・ sing

(3)

・ ・ eat

2 밑줄 친 일반동사가 바르게 쓰인 것을 고르세요.

① You catches a ball.

② They have pens.

③ It drink milk.

④ I reads books.

3 그림을 보고 빈칸에 알맞은 말을 고르세요.

She _____ to school.

① gos   ② go

③ goes   ④ is

4 그림을 보고 알맞은 문장을 고르세요.

① You walk fast.

② I walks fast.

③ It walks fast.

④ He walk fast.

5 밑줄 친 부분을 우리말에 알맞게 고친 것을 고르세요.

We eat carrots.

우리들은 당근을 먹지 않는다.

① eates

② eats

③ do not eat

④ does not eat

6 우리말 뜻에 알맞은 문장을 고르세요.

그는 인형을 만든다.

① He do not make a doll.

② He does not make a doll.

③ He make a doll.

④ He makes a doll.

7 그림을 보고 알맞은 말을 골라 쓰세요.

I _____ not watch TV.
(do / does)

8 그림을 보고 단어를 바르게 배열하여 문장을 쓰세요.

_____

(does / read / not / She / books / .)

배운 내용을 떠올리며 말판 놀이를 해 보세요.

START

1. 우리말에 맞게 단어를 바르게 배열하여 문장을 완성하세요.

> 나는 빠르게 달린다.
>
> ➡ _____.
>
> (run / I / fast)

7. 문장을 읽고 알맞은 그림에 동그라미 하세요.

> She does not have a ruler.

8. 그림을 보고 알맞은 말을 고르세요.

> He (sing / sings) well.

FINISH

6. 밑줄 친 부분을 바르게 고쳐 쓰세요.

> You does not play tennis.
>
> 너는 테니스를 하지 않는다.
>
> ➡ _____

5. 알맞은 말을 고르세요.

> We (watch / watches) TV.
>
> 우리들은 TV를 본다.

2. 알맞은 말을 고르세요.

She (gos / goes) to school.

그녀는 학교에 간다.

3. 문장을 읽고 알맞은 그림에 동그라미 하세요.

I like dogs.

9. 우리말에 맞게 단어를 바르게 배열하여 문장을 완성하세요.

우리들은 당근을 먹지 않는다.

➡ _____.

(do / carrots / not / eat / We)

10. 문장에서 not이 들어갈 위치에 ✔표를 하세요.

They do make a doll.

그들은 인형을 만들지 않는다.

4. 그림을 보고 알맞은 말을 고르세요.

It (do not / does not) catch balls.

A 단서 를 참고하여, 미로를 탈출하여 만나는 알파벳으로 만든 단어를 알맞은 형태로 바꾸어 문장을 완성하세요.

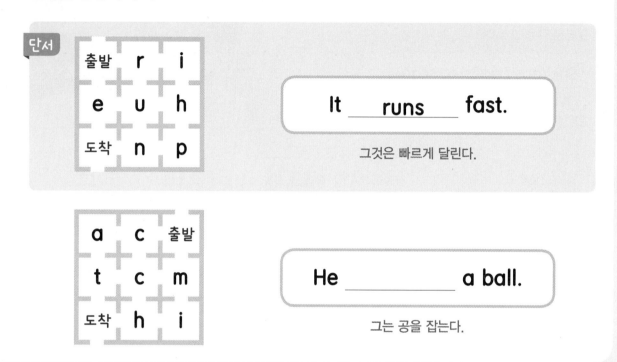

단서

출발	r	i
e	u	h
도착	n	p

It _____runs_____ fast.

그것은 빠르게 달린다.

a	c	출발
t	c	m
도착	h	i

He _____ a ball.

그는 공을 잡는다.

B 수지와 다람이가 스도쿠 게임을 하고 있어요. 힌트 를 보고, 다람이가 낸 단어 퍼즐을 완성하세요.

힌트

have

e	v	a	h
a	h	e	v
h	a	v	e
v	e	h	a

sing

			i
	s		
			n
	g		

C 다람이가 로봇들과 단어 서바이벌 게임을 하고 있어요. 각 단계마다 살아남은 단어를 써 보세요.

| doctor | dance | teach | pig |
| eat | grandfather | happy | wash |

1단계 동작을 나타내는 단어만 살아남아요.

2단계 주어가 He, She, It일 때 끝에 -es가 붙는 단어만 살아남아요.

3단계 철자가 5글자인 단어만 살아남아요.

Step A 다음 중 알맞은 알파벳을 골라 단어를 완성하세요.

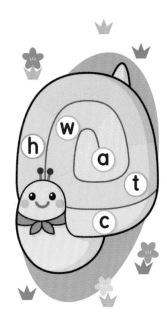

1. You d☐n☐e

2. It ea☐s

3. She does not ☐atc☐

Step B **Step A** 의 어구를 사용하여 문장을 완성하세요.

1. _____ well.

너희들은 춤을 잘 춘다.

2. _____ bread.

그것은 빵을 먹는다.

3. _____ TV.

그녀는 TV를 보지 않는다.

Step C

힌트 를 참고하여 거울에 비친 단어나 어구를 바르게 써서 문장을 완성하세요.

2주

1.

She _____ English.

그녀는 영어를 가르친다.

2.

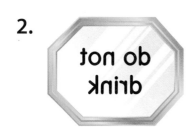

We _____ juice.

우리들은 주스를 마시지 않는다.

3.

I _____ my hands.

나는 나의 손을 씻는다.

4.

He _____ books.

그는 책을 읽지 않는다.

3주

3주에는 무엇을 공부할까? ①

재미있는 이야기로 이번 주에 공부할 내용을 알아보세요.

can

3주차 공부할 내용

1일 ~ **4**일 can 공부   **5**일 3주 복습

A

◉ 여러분이 할 수 있는 그림에 동그라미 하세요.

수영할 수 있다

요리할 수 있다

자전거를 탈 수 있다

스키를 탈 수 있다

다이빙을 할 수 있다

B

● 그림을 보고, 질문에 대한 그림 속 여자아이의 대답으로 알맞은 것을 고르세요.

 너는 스케이트를 탈 수 있니?

답 ×

나는 수영할 수 있다
I Can Swim

🎯 **재미있는 이야기로 오늘 배울 내용을 만나 보세요.**

너희들과 같이 계곡에 오니까 신난다. 이제 뭐 하고 놀까?

날씨도 더운데 저기 계곡에서 수영하자.

어쩌지? 나는 수영을 못하는데.

걱정 마. **I can swim.** 내가 수영을 가르쳐 줄게.

can? 그게 뭐야?

하나, 둘!!

can은 '~할 수 있다'는 뜻이야. I can swim.처럼 항상 일반동사 앞에 써야 해.

그리고 문장 앞에 어떤 주어가 오더라도 can의 모양은 변하지 않아.

다람아, 그럼 수영 좀 가르쳐 줘.

나만 믿어.

계곡으로 출발!

3
주

'~할 수 있다'는 표현을 알아보자.

✽ 오늘은 무엇을 배울까요?

She can skate.

그녀는 스케이트를 탈 수 있다.

They can cook well.

그들은 요리를 잘할 수 있다.

문법 쏙쏙

 눈과 귀로 익혀요

일반동사 앞에 **can**을 붙이면 '~할 수 있다'는 뜻이에요.

I can ride a bike. 나는 자전거를 탈 수 있다.

They can run fast. 그들은 빠르게 달릴 수 있다.

어떤 주어가 오더라도
can의 모양은 변하지 않아.

 손으로 익혀요 주어 + can + 일반동사

You can swim fast.
너는 / 수영할 수 있다 / 빠르게.

He can sing well.
그는 / 노래할 수 있다 / 잘.

It can fly.
그것은 / 날 수 있다.

We can cook well.
우리들은 / 요리할 수 있다 / 잘.

A 그림을 보고, 알맞은 말에 동그라미 하세요.

1.

| can cook | can cooks |

2.

| can skates | can skate |

3.

| can sings | can sing |

4.

| can swims | can swim |

B 단어를 읽고, 알맞은 짝에 ✔표 하세요.

1.

He
☐ cans run
☐ can run

2.

It
☐ cans fly
☐ can fly

3.

I
☐ can makes
☐ can make

4.

They
☐ can ride
☐ can rides

실력 쏙쏙

 그림을 보고, 알맞은 말을 골라 동그라미 하세요.

1.

They (can fly / fly can).

그것들은 날 수 있다.

2.

She (swim can / can swim) fast.

그녀는 빠르게 수영할 수 있다.

3.

I (cook can / can cook) well.

나는 요리를 잘할 수 있다.

B 그림을 보고, 빈칸에 알맞은 말을 골라 문장을 완성하세요.

1.

can ride

cans ride

He _____ a bike.

그는 자전거를 탈 수 있다.

2.

can runs

can run

They _____ fast.

그들은 빠르게 달릴 수 있다.

C 주어진 단어와 can을 사용하여 우리말 뜻에 맞는 문장을 완성하세요.

1.
make

She _____ a doll.

그녀는 인형을 만들 수 있다.

2.
sing

We _____ well.

우리들은 노래를 잘할 수 있다.

3.
fly

It _____ fast.

그것은 빠르게 날 수 있다.

D 그림을 보고, 알맞은 말을 보기 에서 골라 can을 사용하여 문장을 완성하세요.

보기   ride   run   skate

1. You _____ fast.

너는 빠르게 달릴 수 있다.

2. I _____ a bike.

나는 자전거를 탈 수 있다.

3. They _____ well.

그들은 스케이트를 잘 탈 수 있다.

똑똑한 하루

2일
Grammar

나는 춤출 수 없다

I Cannot Dance

🎯 재미있는 이야기로 오늘 배울 내용을 만나 보세요.

3주

'~할 수 없다'는 표현을 알아보자.

✤ 오늘은 무엇을 배울까요?

He cannot read books.
그는 책을 읽을 수 없다.

They cannot walk.
그것들은 걸을 수 없다.

문법 쏙쏙

개념 읽는 QR 10

 눈 과 귀 로 익혀요

일반동사 앞에 **cannot**을 붙이면 '~할 수 없다'는 뜻이에요.

He cannot walk. 그는 걸을 수 없다.

It cannot fly. 그것은 날 수 없다.

cannot은 can't로 줄여 쓸 수 있어.

 손 으로 익혀요   주어 + cannot + 일반동사

I cannot run.
나는 / 달릴 수 없다.

He cannot dance.
그는 / 춤출 수 없다.

It cannot sing.
그것은 / 노래할 수 없다.

They cannot sleep.
그들은 / 잘 수 없다.

▶정답 16쪽

 그림을 보고, 알맞은 말에 동그라미 하세요.

1.

cannot skate   can skate

2.

can run   cannot run

3.

cannot sleep   can sleep

4.

can ski   cannot ski

B 우리말을 읽고, 알맞은 말에 ✔표 하세요.

1.

걸을 수
없다

☐ can walk

☐ cannot walk

2.

노래할 수
없다

☐ cannot sing

☐ can sing

3.

날 수
없다

☐ cannot fly

☐ can fly

4.

읽을 수
없다

☐ can read

☐ cannot read

A 그림을 보고, 알맞은 말에 ✔표 하세요.

1.

She ☐ can ☐ cannot sleep.

그녀는 잘 수 없다.

2.

We ☐ cannot ☐ can sing.

우리들은 노래할 수 없다.

3.

You ☐ can ☐ cannot skate.

너는 스케이트를 탈 수 없다.

B 그림을 보고, 빈칸에 알맞은 말을 골라 문장을 완성하세요.

1.

cannot read

can read

It _____ books.

그것은 책을 읽을 수 없다.

2.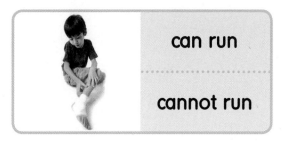

can run

cannot run

He _____ fast.

그는 빠르게 달릴 수 없다.

C 주어진 단어와 cannot을 사용하여 우리말 뜻에 맞는 문장을 완성하세요.

1.

sing

They _____ well.

그들은 노래를 잘할 수 없다.

2.

walk

She _____ fast.

그녀는 빠르게 걸을 수 없다.

3.

dance

I _____ well.

나는 춤을 잘 출 수 없다.

D 그림을 보고, 알맞은 말을 보기 에서 골라 cannot을 사용하여 문장을 완성하세요.

보기   fly   walk   ski

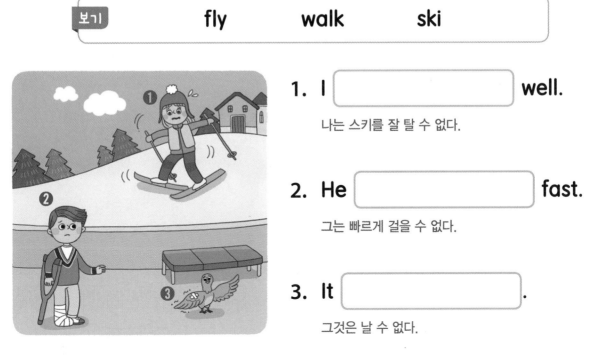

1. I _____ well.

나는 스키를 잘 탈 수 없다.

2. He _____ fast.

그는 빠르게 걸을 수 없다.

3. It _____.

그것은 날 수 없다.

너는 스케이트를 탈 수 있니?
Can You Skate?

🎯 **재미있는 이야기로 오늘 배울 내용을 만나 보세요.**

오늘은 무엇을 배울까요?

Can they jump?
그들은 점프할 수 있니?

Can he ride a bike?
그는 자전거를 탈 수 있니?

문법 쏙쏙

👁 과 👂로 익혀요

Can을 문장의 맨 앞에 쓰면 '~할 수 있니?'라는 뜻이에요.

Can you dive? 너는 다이빙을 할 수 있니?

> 문장의 맨 앞에 오는 Can의 첫 글자는 대문자로 써야 해.

 손으로 익혀요 **Can + 주어 + 일반동사?**

Can he skate?
할 수 있니 / 그는 / 스케이트를 타다?

Can she cook?
할 수 있니 / 그녀는 / 요리하다?

Can it fly?
할 수 있니 / 그것은 / 날다?

Can they ski?
할 수 있니 / 그들은 / 스키를 타다?

▶정답 17쪽

A 우리말을 읽고, 알맞은 말에 동그라미 하세요.

1.
그들은 수영할 수 있니?

Can they

They can swim?

2.
너는 점프할 수 있니?

You can

Can you jump?

3.
그는 달릴 수 있니?

Can he

He can run?

4.
그것은 날 수 있니?

It can

Can it fly?

B 그림을 보고, 알맞은 말에 ✔표 하세요.

1.

☐ Can ☐ Are you ski?

너는 스키를 탈 수 있니?

2.

☐ Can ☐ Are they skate?

그들은 스케이트를 탈 수 있니?

3.

☐ Is ☐ Can she ride a bike?

그녀는 자전거를 탈 수 있니?

실력 쏙쏙

A 그림을 보고, 알맞은 말을 골라 동그라미 하세요.

1.

(Can he / He can) ride a bike?

그는 자전거를 탈 수 있니?

2.

(Can they / They can) ski?

그들은 스키를 탈 수 있니?

3.

(She can / Can she) dive?

그녀는 다이빙을 할 수 있니?

B 그림을 보고, 빈칸에 알맞은 말을 골라 문장을 완성하세요.

1.

Can

Is

_____ it fly?

그것은 날 수 있니?

2.

Are

Can

_____ she run?

그녀는 달릴 수 있니?

▶정답 17쪽

C 주어진 단어를 바르게 배열하여 문장을 완성하세요.

1.

| Can | you |

_____ skate?

너희들은 스케이트를 탈 수 있니?

2.

| it | Can |

_____ swim?

그것은 수영할 수 있니?

3.

| Can | he |

_____ fly?

그는 날 수 있니?

D 그림을 보고, 알맞은 말을 보기 에서 골라 문장을 완성하세요.

보기   **Can she**   **Can it**   **Can they**

1. _____ swim?

그들은 수영할 수 있니?

2. _____ dive?

그녀는 다이빙을 할 수 있니?

3. _____ jump?

그것은 점프할 수 있니?

너는 점프할 수 있니?   응, 할 수 있어

Can You Jump? - Yes, I Can

🎯 재미있는 이야기로 오늘 배울 내용을 만나 보세요.

3
주

❄ 오늘은 무엇을 배울까요?

Can it swim? 그것은 수영할 수 있니?
– **Yes, it can.** 응, 할 수 있어.

Can they jump? 그것들은 점프할 수 있니?
– **No, they can't.** 아니, 못해.

개념 읽는 QR

12

 눈 과 귀 로 익혀요

할 수 있는지 묻는 말에 할 수 있으면 '**Yes**, 주어 + **can**.', 할 수 없으면 '**No**, 주어 + **can't**.'로 답해요.

Can you swim?
너는 수영할 수 있니?

- Yes, I can.
응, 할 수 있어.

Can he ski?
그는 스키를 탈 수 있니?

- No, he can't.
아니, 못해.

can't는 cannot의 줄임말이야.

 손으로 익혀요   Yes, 주어 + can. / No, 주어 + can't.

Can they jump?
할 수 있니 / 그들은 / 점프하다?

- Yes, they can.
응, / 할 수 있어.

- No, they can't.
아니, / 못해.

▶정답 18쪽

 그림을 보고, 알맞은 말에 ✔표 하세요.

1.

A **Can she run?**
그녀는 달릴 수 있니?

B ☐ **Yes** ☐ **No** , she can't.

아니, 못해.

2.

A **Can it fly?**
그것은 날 수 있니?

B ☐ **Yes** ☐ **No** , it can.

응, 할 수 있어.

B 질문을 읽고, 알맞은 답에 동그라미 하세요.

1.

Can you jump?

너는 점프할 수 있니?

Yes, I can.

Yes, I can't.

2.

Can he skate?

그는 스케이트를 탈 수 있니?

No, he can't.

No, he can.

실력 쏙쏙

A 그림을 보고, 알맞은 말을 골라 동그라미 하세요.

1.

A **Can they cook well?**
그들은 요리를 잘할 수 있니?

B **Yes, they** [can / can't] .
응, 할 수 있어.

2.

A **Can he ski?**
그는 스키를 탈 수 있니?

B **No, he** [can / can't] .
아니, 못해.

B 빈칸에 알맞은 말을 골라 ✔표 한 후, 대화를 완성하세요.

1.
☐ can
☐ can't

A **Can they run fast?**
그들은 빠르게 달릴 수 있니?

B **No, they** _____.
아니, 못해.

2.
☐ can't
☐ can

A **Can it fly?**
그것은 날 수 있니?

B **Yes, it** _____.
응, 할 수 있어.

C 그림을 보고, 빈칸에 알맞은 말을 써서 대화를 완성하세요.

1.

A **Can she jump?**
그녀는 점프할 수 있니?

B _____, she _____.
응, 할 수 있어.

2.

A **Can he cook well?**
그는 요리를 잘할 수 있니?

B _____, he _____.
아니, 못해.

D 그림을 보고, 알맞은 말을 보기 에서 골라 대화를 완성하세요.

| 보기 | Can | can | can't |

1. A [   ] she walk?
그녀는 걸을 수 있니?

B No, she [   ].
아니, 못해.

2. A **Can they swim?**
그것들은 수영할 수 있니?

B Yes, they [   ].
응, 할 수 있어.

3주 복습

🎯 재미있는 이야기로 한 주 동안 배운 내용을 복습해 보세요.

1일

2일

3일

4일

쏙쏙 정리 ❶

A 그림을 보고, 주어진 단어와 can을 사용하여 문장을 완성하세요.

1.

fly

They [   ].

그것들은 날 수 있다.

2.

cook

He [   ] well.

그는 요리를 잘할 수 있다.

B 알맞은 말을 골라 우리말 뜻과 일치하도록 문장을 완성하세요.

1.
☐ cannot
☐ can

She _____ read books.

그녀는 책을 읽을 수 없다.

2.
☐ can
☐ cannot

We _____ make a doll.

우리들은 인형을 만들 수 있다.

C 그림을 보고, 주어진 말을 바르게 배열하여 문장을 쓰세요.

1.

| he | Can | fast | run |

➡ _____

그는 빠르게 달릴 수 있니?

2.

| a bike | you | ride | Can |

➡ _____

너희들은 자전거를 탈 수 있니?

D 그림을 보고, 빈칸에 알맞은 말을 써서 대화를 완성하세요.

1.

A **Can she dive?**
그녀는 다이빙을 할 수 있니?

B **Yes, she** _____ .
응, 할 수 있어.

2.

A **Can you sleep?**
너는 잠을 잘 수 있니?

B **No, I** _____ .
아니, 못해.

쏙쏙 정리 ②

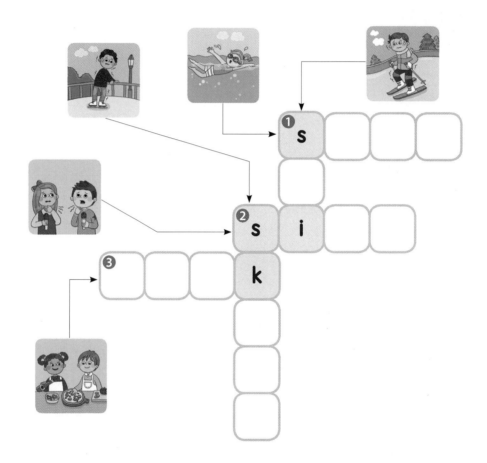

A 그림과 힌트를 보고, 크로스워드 퍼즐을 완성하세요.

힌트

🔑 가로

❶ She can _____.
그녀는 수영할 수 있다.

❷ Can you _____?
너희들은 노래할 수 있니?

❸ We can _____ well.
우리들은 요리를 잘할 수 있다.

🔑 세로

❶ He cannot _____.
그는 스키를 탈 수 없다.

❷ Can you _____?
너는 스케이트를 탈 수 있니?

▶정답 19쪽

B 빈칸에 알맞은 말을 찾아 '출발'에서부터 '도착'까지 길을 따라 색칠한 후, 빈칸에 쓰세요.

1. They ⬚ fly.

그것들은 날 수 없다.

2. She ⬚ walk.

그녀는 걸을 수 있다.

3. ⬚ you ride a bike?

너는 자전거를 탈 수 있니?

4. We ⬚ skate.

우리는 스케이트를 탈 수 없다.

5. I ⬚ dive.

나는 다이빙을 할 수 있다.

6. ⬚ he run fast?

그는 빠르게 달릴 수 있니?

출발	can	Can	cannot	can
cannot	can	cannot	can	Can
Can	Can	cannot	can	cannot
cannot	can	Can	Can	Can
can	cannot	Can	도착	Can

1 어구를 읽고 알맞은 그림을 고르세요.

> can cook

①

②

③

④

2 그림을 보고 빈칸에 알맞은 말을 고르세요.

> She _____.

① cannot swim

② swim cannot

③ can swim

④ swim can

3 그림을 보고 알맞은 문장을 고르세요.

① We can dance.

② We cannot dance.

③ We dance can.

④ We dance cannot.

4 대화를 읽고 알맞은 그림을 고르세요.

> A Can they sing?
> B No, they can't.

①

②

③

④

5 밑줄 친 부분을 우리말에 알맞게 고친 것을 고르세요.

I can skate.

나는 스케이트를 탈 수 없다.

① skate can

② skate cannot

③ cannot skate

④ skate

6 우리말 뜻에 알맞은 문장을 고르세요.

그는 다이빙을 할 수 있다.

① He cans dive.

② He can dive.

③ He can dives.

④ He dive can.

7 그림을 보고 알맞은 말을 골라 쓰세요.

A Can you ride a bike?

B Yes, I _____.
　　　　(can / cannot)

8 그림을 보고 단어를 바르게 배열하여 문장을 쓰세요.

A _____
　(they / Can / swim / ?)

B Yes, they can.

🧩 배운 내용을 떠올리며 말판 놀이를 해 보세요.

1. 그림을 보고 알맞은 말을 고르세요.

They (can / cannot) fly.

2. 알맞은 말을 고르세요.

I (can / cannot) ride a bike.
나는 자전거를 탈 수 없다.

3. 밑줄 친 부분을 바르게 고쳐 쓰세요.

He can swim?

➡ _____

4. 대화의 빈칸에 알맞은 말을 쓰세요.

A Can you ski?
너는 스키를 탈 수 있니?
B Yes, I _____.
응, 할 수 있어.

➡ _____

5. 문장을 읽고 알맞은 그림에 동그라미 하세요.

They can sing.

8. 문장을 질문으로 바꿀 때 빈칸에 알맞은 말을 쓰세요.

They can jump.

➡ _____ they jump?

9. 그림을 보고 알맞은 말을 고르세요.

You (cannot / can) sleep.

7. 문장에서 can이 들어갈 위치에 ✔표를 하세요.

She cook well.
그녀는 요리를 잘할 수 있다.

10. 우리말에 맞게 단어를 바르게 배열하여 문장을 완성하세요.

우리는 스케이트를 탈 수 있다.

➡ _____.
(can / We / skate)

6. 질문을 읽고 그림에 알맞은 대답을 골라 ✔표를 하세요.

Can you dive?

Yes, I can. ☐
No, I can't. ☐

A 미로를 탈출하려면 두 개의 단어를 찾아 따라 나가야 해요. 그림에 알맞은 단어를 따라가며 미로를 탈출한 후, can을 사용하여 그림에 알맞은 문장을 완성하세요.

출발	t	b	i
s	u	m	p
w	j	y	도착
i	m	r	a

1.

She _____.

2.

We _____.

B 수지의 강아지가 메모지를 밟아 문장의 일부가 지워졌어요. 지워진 부분에 알맞은 단어를 보기 에서 골라 문장을 다시 쓰세요.

보기   can   cannot

They 🐾 ski.
그들은 스키를 탈 수 있다.

She 🐾 sleep.
그녀는 잘 수 없다.

1. [   ]

2. [   ]

C 미로를 통과하며 만나는 단어로 대화를 완성하세요.

1.

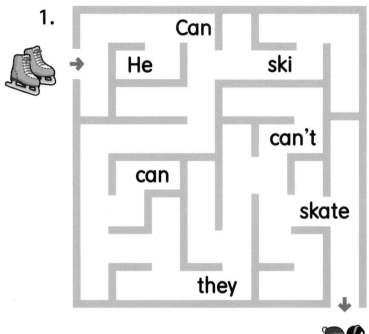

A _____
B Yes, they can.

2.

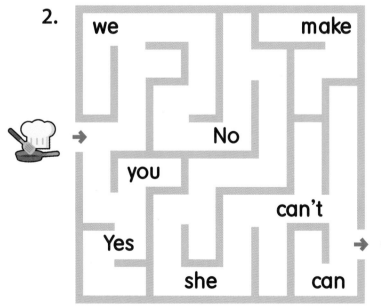

A Can she cook?
B _____

Step A 다음 중 알맞은 알파벳을 골라 단어를 완성하세요.

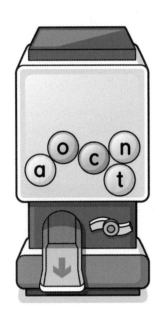

1. c ☐ nn ☐ t skate

2. ☐ an cook

3. can ☐ o ☐ ski

Step B Step A 의 어구를 사용하여 문장을 완성하세요.

1. He _____.

그는 스케이트를 탈 수 없다.

2. We _____ well.

우리들은 요리를 잘할 수 있다.

3. You _____.

너는 스키를 탈 수 없다.

Step C

힌트 를 참고하여 거울에 비친 단어를 바르게 써서 문장을 완성하세요.

힌트

nɒƆ ➡ Can

1.

nɒƆ

_____ she run fast?

그녀는 빠르게 달릴 수 있니?

2.

tonnɒɔ

They _____ walk.

그것들은 걸을 수 없다.

3.

nɒɔ

I _____ ride a bike.

나는 자전거를 탈 수 있다.

4.

nɒɔ

He _____ make a doll.

그는 인형을 만들 수 있다.

4주에는 무엇을 공부할까? ❶

재미있는 이야기로 이번 주에 공부할 내용을 알아보세요.

Who, What, How

4주차 공부할 내용

1일 ~ **4**일 Who, What, How 공부   **5**일 4주 복습

4주에는 무엇을 공부할까? ②

 A

◉ 누구인지 물을 수 있는 그림에는 ○, 무엇인지 물을 수 있는 그림에는 △표 하세요.

 답 △:앞치마 그림, 모자 그림, 개미 그림
○:아가씨 그림, 남자아이 그림

B

● 그림을 보고, 그림 속 여자아이에 대해 답할 수 있는 질문을 모두 골라 ✔표 하세요.

- [ ] 이름은 무엇인가요?

- [ ] 좋아하는 운동은 무엇인가요?

- [ ] 나이는 몇 살인가요?

- [ ] 입고 있는 옷 색깔은 무엇인가요?

답 이름, 나이, 입고 있는 옷 색깔

무엇　　　누구　　　어떻게(얼마나)
What, Who, How

🎯 **재미있는 이야기로 오늘 배울 내용을 만나 보세요.**

궁금한 것을 물어볼 때 쓰는 말을 알아보자.

❄ 오늘은 무엇을 배울까요?

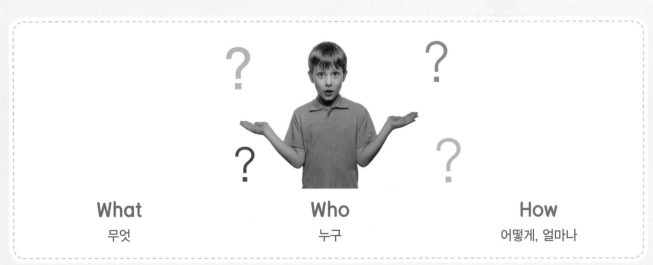

What	Who	How
무엇	누구	어떻게, 얼마나

문법 쏙쏙

 로 익혀요

궁금한 것을 구체적으로 물을 때 쓰는 말에는 **What, Who, How** 등이 있어요.

What 무엇

Who 누구

How 어떻게, 얼마나

> 궁금한 것을 구체적으로
> 물을 때 쓰는 말은
> 문장의 맨 앞에 써.

 으로 익혀요   What, Who, How

What	Who	How
무엇	누구	어떻게, 얼마나

▶정답 22쪽

A 궁금한 것을 구체적으로 물을 때 쓰는 말을 모두 찾아 동그라미 하세요.

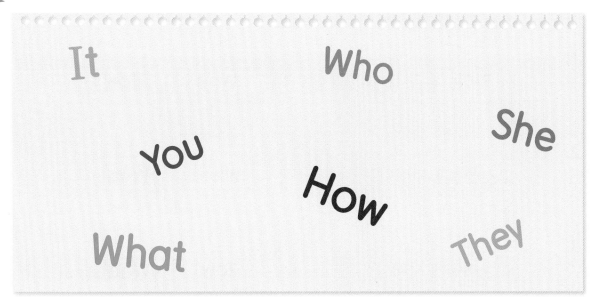

It

Who

You

She

How

What

They

B 우리말을 읽고, 알맞은 말에 동그라미 하세요.

1.

무엇

What

Who

2.
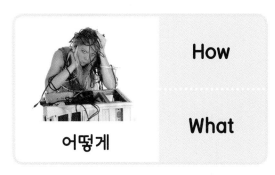
어떻게

How

What

3.

누구

What

Who

4.

무엇

What

How

A 밑줄 친 우리말 뜻에 알맞은 단어에 ✔표 하세요.

1.
그녀는 <u>누구</u>니?
☐ Who   ☐ How

2.
그것들은 <u>무엇</u>이니?
☐ Who   ☐ What

3.
너는 <u>어떻게</u> 지내니?
☐ How   ☐ What

4.
그들은 <u>누구</u>니?
☐ What   ☐ Who

B 그림을 보고, 알맞은 단어를 골라 쓰세요.

1.

Who
What

누구

_____

2.

How
What

무엇

_____

C What, Who, How 중 알맞은 단어를 빈칸에 쓰세요.

1.
'무엇'인지 물어볼 때는 [＿＿＿＿＿] 을/를 써요.

2.
'어떻게, 얼마나'인지 물어볼 때는 [＿＿＿＿＿] 을/를 써요.

3.
'누구'인지 물어볼 때는 [＿＿＿＿＿] 을/를 써요.

D 그림을 보고, 궁금한 것을 물어보는 알맞은 말을 보기 에서 골라 쓰세요.

보기	How	Who	What

1. [＿＿＿＿＿]
무엇

2. [＿＿＿＿＿]
누구

3. [＿＿＿＿＿]
어떻게

Grammar

그것은 무엇이니?
What Is It?

그녀는 누구니?
Who Is She?

🎯 재미있는 이야기로 오늘 배울 내용을 만나 보세요.

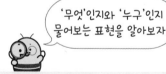

'무엇'인지와 '누구'인지
물어보는 표현을 알아보자.

❄ 오늘은 무엇을 배울까요?

What is it?
그것은 무엇이니?

Who are they?
그들은 누구니?

문법 쏙쏙

 로 익혀요

What은 동물이나 사물이 '무엇'인지 물어볼 때 써요.

Who는 사람이 '누구'인지 물어볼 때 써요.

What is it?
그것은 무엇이니?

- It is a lion.
그것은 사자야.

Who is he?
그는 누구니?

- He is my dad.
그는 나의 아빠셔.

> 주어에 알맞은
> be동사를 사용해야 해.

 로 익혀요   **What, Who**

What are they?	**Who is she?**
무엇이니 / 그것들은?	누구니 / 그녀는?

▶정답 23쪽

 우리말을 읽고, 알맞은 말에 동그라미 하세요.

1.

누구
What
Who

2.

무엇
Who
What

3.
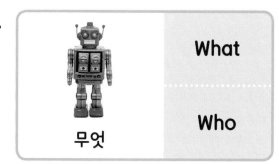
무엇
What
Who

4.
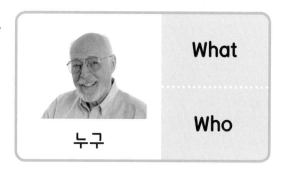
누구
What
Who

4
주

B 밑줄 친 부분에 알맞은 우리말 뜻에 ✔표 하세요.

1.

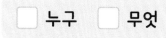
Who is she?
☐ 누구   ☐ 무엇

2.

What are they?
☐ 누구   ☐ 무엇

3.

What is it?
☐ 누구   ☐ 무엇

실력 쏙쏙

A 그림을 보고, 알맞은 말에 ✔표 하세요.

1.

☐ Who   ☐ What   are they?

그들은 누구니?

2.

☐ Who   ☐ What   is it?

그것은 무엇이니?

3.

☐ Who   ☐ What   is he?

그는 누구니?

B 그림을 보고, 빈칸에 알맞은 말을 골라 문장을 완성하세요.

1.

Who

What

_____ is it?

그것은 무엇이니?

2.

Who

What

_____ is she?

그녀는 누구니?

C What 또는 Who를 써서 우리말 뜻에 맞는 문장을 완성하세요.

1. _____ **are you?**

너는 누구니?

2. _____ **are they?**

그것들은 무엇이니?

3. _____ **is she?**

그녀는 누구니?

D 그림을 보고, 알맞은 말을 보기 에서 골라 문장을 완성하세요.

보기   **What   Who   What**

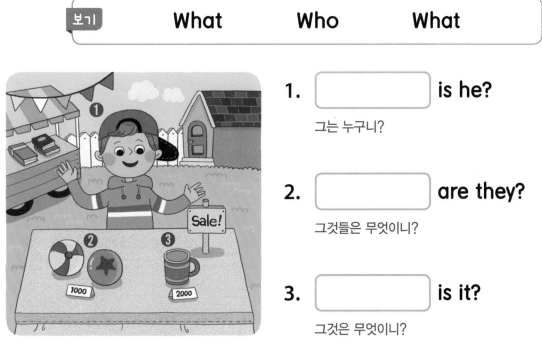

1. [   ] **is he?**

그는 누구니?

2. [   ] **are they?**

그것들은 무엇이니?

3. [   ] **is it?**

그것은 무엇이니?

3일
Grammar

그것은 무엇이니?
What Is It?

그것은 무슨 색이니?
What Color Is It?

🎯 재미있는 이야기로 오늘 배울 내용을 만나 보세요.

☀ 오늘은 무엇을 배울까요?

What **is it?**
그것은 무엇이니?

What color **is it?**
그것은 무슨 색이니?

문법 쏙쏙

개념 읽는 QR

15

 귀로 익혀요

What은 동물이나 사물이 '무엇'인지 물어볼 때 써요.

What color는 '무슨 색'인지 물어볼 때 써요.

What is it?
그것은 무엇이니?

– It is an umbrella.
그것은 우산이야.

What color is it?
그것은 무슨 색이니?

– It is red.
그것은 빨간색이야.

color는 색,
색깔이라는 뜻이야.

 What, What color

What is it?	**What color is it?**
무엇이니 / 그것은?	무슨 색이니 / 그것은?
What are they?	**What color are they?**
무엇이니 / 그것들은?	무슨 색이니 / 그것들은?

그림을 보고, 알맞은 말에 동그라미 하세요.

1.

What   What color

2.

What   What color

3.

What   What color

4.

What   What color

4
주

B 밑줄 친 부분에 알맞은 우리말 뜻에 ✔표 하세요.

1.

What color is it?   ☐ 무엇 ☐ 무슨 색

2.

What is it?   ☐ 무엇 ☐ 무슨 색

3.

What color are they?   ☐ 무엇 ☐ 무슨 색

실력 쏙쏙

A 그림을 보고, 알맞은 말을 골라 동그라미 하세요.

1.

(What / What color) is it?

그것은 무엇이니?

2.

(What / What color) is it?

그것은 무슨 색이니?

3.

(What / What color) are they?

그것들은 무엇이니?

B 그림을 보고, 빈칸에 알맞은 말을 골라 문장을 완성하세요.

1.

What

What color

_____ **is it?**

그것은 무슨 색이니?

2.

What

What color

_____ **are they?**

그것들은 무엇이니?

C What 또는 What color를 써서 우리말 뜻에 맞는 문장을 완성하세요.

1. _____ **are they?**

   그것들은 무슨 색이니?

2. _____ **is it?**

   그것은 무엇이니?

3. _____ **is it?**

   그것은 무슨 색이니?

D 그림을 보고, 알맞은 말을 보기 에서 골라 문장을 완성하세요.

보기   **What**   **What color**

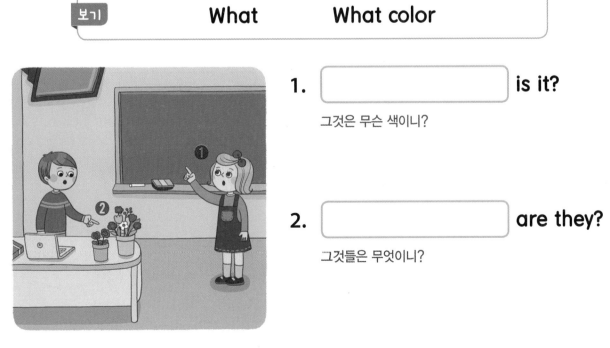

1. _____ **is it?**

   그것은 무슨 색이니?

2. _____ **are they?**

   그것들은 무엇이니?

너는 어떻게 지내니?　　　너는 몇 살이니?

How Are You?　How Old Are You?

🎯 **재미있는 이야기로 오늘 배울 내용을 만나 보세요.**

다람아, 수지야!

인사해. 미국에서 온 내 사촌 동생이야.

안녕, 나는 Linda야. **How are you?**

난 다람이야. 나는 오늘 기분이 좋아. 만나서 반가워!

내 이름은 수지야. 반가워.

나도 반가워.

그런데 How are you?가 무슨 뜻이야?

안부를 묻는 인사말이야. How는 '어떻게, 얼마나'라는 뜻으로, 안부나 나이를 물을 때도 쓰거든.

아, 그렇구나!

나도 오늘 Linda를 만나서 기분이 좋아.

How old are you?

음, 이건 또 무슨 뜻이지?

안부와 나이를 묻는
표현을 알아보자.

❄ 오늘은 무엇을 배울까요?

How are you?
너는 어떻게 지내니?

How old are you?
너는 몇 살이니?

문법 쏙쏙

개념 읽는 QR
16

 과 **귀** 로 익혀요

How are you?는 안부를 묻는 표현이에요.
How old are you?는 나이를 묻는 표현이에요.

How are you?
너는 어떻게 지내니?

- I am good.
나는 잘 지내.

How old are you?
너는 몇 살이니?

- I am six years old.
나는 여섯 살이야.

물어보는 대상에 알맞은 주어와 be동사를 사용해야 해.

 으로 익혀요   How + be동사 + 주어?, How old + be동사 + 주어?

How is she?
어떻게 지내니 / 그녀는?

How old are they?
몇 살이니 / 그들은?

▶정답 25쪽

 우리말을 읽고, 알맞은 말에 동그라미 하세요.

1.

그들은 몇 살이니?

How

How old

are they?

2.

그녀는 어떻게 지내니?

How

How old

is she?

3.

그는 어떻게 지내니?

How old

How

is he?

4.

너는 몇 살이니?

How

How old

are you?

4 주

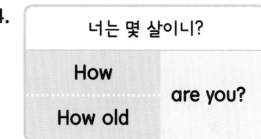

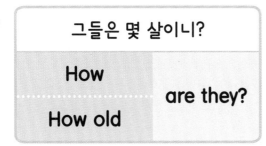

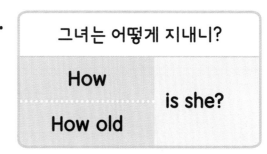

B 그림을 보고, 알맞은 말에 ✔표 하세요.

1.

☐ How ☐ How old are you?

너는 어떻게 지내니?

2.

☐ How ☐ How old is he?

그는 어떻게 지내니?

3.

☐ How ☐ How old is she?

그녀는 몇 살이니?

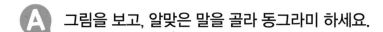
실력 쏙쏙

A 그림을 보고, 알맞은 말을 골라 동그라미 하세요.

1.

(How / How old) is she?

그녀는 어떻게 지내니?

2.

(How / How old) are they?

그들은 어떻게 지내니?

3.

(How / How old) is he?

그는 몇 살이니?

B 그림을 보고, 빈칸에 알맞은 말을 골라 문장을 완성하세요.

1.

How

How old

———————————— is she?

그녀는 몇 살이니?

2.

How

How old

———————————— are you?

너는 어떻게 지내니?

C How 또는 How old를 써서 우리말 뜻에 맞는 문장을 완성하세요.

1. _____ **are they?**

그들은 몇 살이니?

2. _____ **is he?**

그는 어떻게 지내니?

3. _____ **are you?**

너희들은 몇 살이니?

D 그림을 보고, 알맞은 말을 보기 에서 골라 문장을 완성하세요.

보기   **How old   How**

1. [   ] **are you?**

너는 몇 살이니?

2. [   ] **are you?**

너는 어떻게 지내니?

4주 복습

 재미있는 이야기로 한 주 동안 배운 내용을 복습해 보세요.

1일

2일

쏙쏙 정리 ①

Ⓐ 그림을 보고, What 또는 Who를 써서 문장을 완성하세요.

1.

[   ] are they?

그것들은 무엇이니?

2.

[   ] is he?

그는 누구니?

Ⓑ 알맞은 말을 골라 우리말 뜻과 일치하도록 문장을 완성하세요.

1.

☐ How

☐ How old

_____ are you?

너는 몇 살이니?

2.

☐ What

☐ What color

_____ is it?

그것은 무엇이니?

C 그림을 보고, 주어진 말을 바르게 배열하여 문장을 쓰세요.

1.

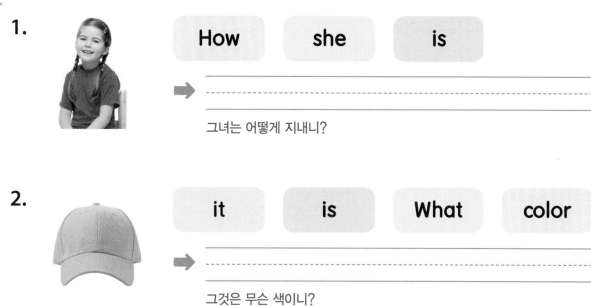

| How | she | is |

→ _____

그녀는 어떻게 지내니?

2.

| it | is | What | color |

→ _____

그것은 무슨 색이니?

D 밑줄 친 부분을 바르게 고쳐 문장을 다시 쓰세요.

1.

<u>What</u> **are you?**   너는 누구니?

→ _____

2.

What color <u>are</u> **they?**   그것들은 무엇이니?

→ _____

3.

How <u>is</u> **he?**   그는 몇 살이니?

→ _____

쏙쏙 정리 ②

A 그림과 힌트를 보고, 크로스워드 퍼즐을 완성하세요.

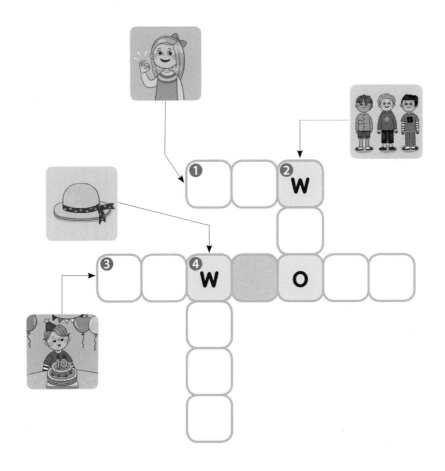

힌트

🔑 가로

❶ _____ is she?
그녀는 어떻게 지내니?

❸ _____ _____ are you?
너는 몇 살이니?

🔑 세로

❷ _____ are they?
그들은 누구니?

❹ _____ is it?
그것은 무엇이니?

▶정답 26쪽

B 빈칸에 알맞은 말을 퍼즐판에서 찾아 동그라미 한 후, 빈칸에 쓰세요. (답은 중복되지 않아요.)

1. [   ] are you?

너는 몇 살이니?

2. [   ] is she?

그녀는 누구니?

3. [   ] are they?

그들은 어떻게 지내니?

4. [   ] are they?

그것들은 무슨 색이니?

W	a	c	s	i	H	o	w
h	f	k	m	g	w	a	t
a	i	p	n	x	E	u	s
t	u	H	o	w	o	l	d
c	j	o	f	q	t	p	k
o	g	D	s	b	e	r	W
l	b	q	h	W	t	a	h
o	n	H	j	l	s	u	o
r	d	r	u	y	g	m	c

1 우리말 뜻에 알맞은 말을 고르세요.

(1)

누구 · · What

(2)

어떻게, 얼마나 · · How

(3)

무엇 · · Who

2 밑줄 친 우리말 뜻에 알맞은 말을 고르세요.

그것은 <u>무엇</u>이니?

① How old

② How

③ What color

④ What

3 그림을 보고 빈칸에 알맞은 말을 고르세요.

_____ are they?

그들은 누구니?

① What   ② Who

③ How   ④ What color

4 그림을 보고 알맞은 문장을 고르세요.

① How is it?

② How old is it?

③ What color is it?

④ Who is it?

5 밑줄 친 부분을 우리말에 알맞게 고친 것을 고르세요.

> How <u>are</u> they?
>
> 그것들은 무엇이니?

① How old

② What color

③ What

④ Who

6 우리말 뜻에 알맞은 문장을 고르세요.

> 그것은 무슨 색이니?

① What color is it?

② What is it?

③ How is it?

④ Who is it?

7 그림을 보고 알맞은 말을 골라 쓰세요.

_____ is he?
(How / What)

8 그림을 보고 단어를 바르게 배열하여 문장을 쓰세요.

_____

(old / is / How / she / ?)

🧩 배운 내용을 떠올리며 말판 놀이를 해 보세요.

START

5. 우리말에 맞게 단어를 바르게 배열하여 문장을 완성하세요.

그녀는 몇 살이니?

➡ _____?

(she / old / is / How)

1. 그림을 보고 알맞은 말을 고르세요.

(Who / What) are they?

4. 알맞은 말을 고르세요.

(What / What color) is it?

그것은 무슨 색이니?

2. 밑줄 친 부분을 바르게 고쳐 쓰세요.

Who are they?

그것들은 무엇이니?

➡ _____

3. 문장을 읽고 알맞은 그림에 동그라미 하세요.

How are they?

정답 27쪽

6. 그림을 보고 알맞은 말을 고르세요.

(What / Who) is it?

7. 밑줄 친 부분을 바르게 고쳐 쓰세요.

How are you?

너는 몇 살이니?

➡ _____

8. 문장을 읽고 알맞은 그림에 동그라미 하세요.

What color is it?

9. 우리말에 맞게 단어를 바르게 배열하여 문장을 완성하세요.

그는 누구니?

➡ _____?

(is / Who / he)

10. 알맞은 말을 고르세요.

(How / How old) are you?

너는 어떻게 지내니?

A 지호가 단어 카드를 섞어 문장을 숨겨놓았어요. 단서 를 보고, 단어를 순서대로 배열하여 문장을 쓰세요.

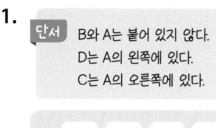

1.

단서
B와 A는 붙어 있지 않다.
D는 A의 왼쪽에 있다.
C는 A의 오른쪽에 있다.

➡ ?

A	is	B	What
C	it	D	color

2.

단서
A와 C는 붙어있지 않다.
C는 오른쪽에 아무것도 없다.
D는 B보다 왼쪽에 있다.

➡ ?

A	old	B	are
C	you	D	How

B 우주 비행사가 우주에 흩어진 단어나 어구와 우리말을 연결해야 해요. 바르게 연결할 수 있도록 사다리에 가로선을 그어 보세요.

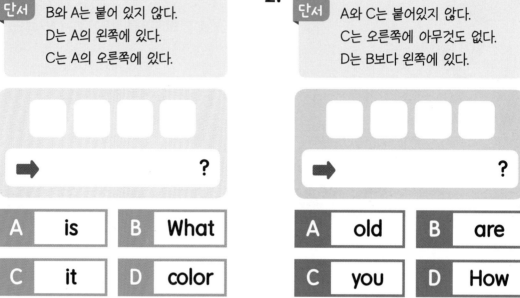

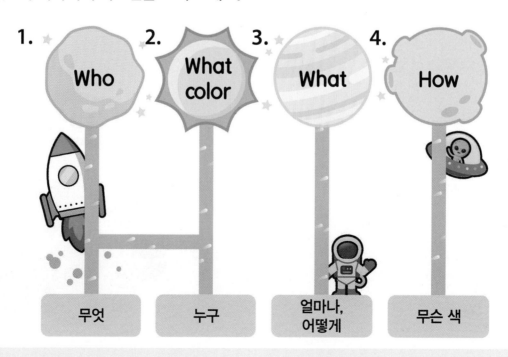

1. Who
2. What color
3. What
4. How

| 무엇 | 누구 | 얼마나, 어떻게 | 무슨 색 |

C 우리말에 맞게 문장을 쓸 때 필요하지 않은 단어에 동그라미 한 후, 동그라미 한 단어들을 모아서 문장을 완성하세요.

1. 그것은 무엇이니?

is · ? · it · What · How

2. 너는 어떻게 지내니?

are · old · you · ? · How

3. 그는 누구니?

? · is · he · Who · are

4. 그것은 무슨 색이니?

you · color · it · What · is · ?

➡ _____ ?

Step A

 다음 중 알맞은 알파벳을 골라 단어를 완성하세요.

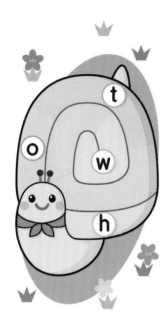

1. W ☐ a ☐

무엇

2. Ho ☐

어떻게, 얼마나

3. Wh ☐

누구

Step B

Step A 의 단어를 사용하여 문장을 완성하세요.

1. _____ are they?

그것들은 무엇이니?

2. _____ old are you?

너는 몇 살이니?

3. _____ is she?

그녀는 누구니?

Step C

힌트 를 참고하여 거울에 비친 단어나 어구를 바르게 써서 문장을 완성하세요.

힌트

How ➡ How

1.

What color
_____ is it?
그것은 무슨 색이니?

2.

Who
_____ are they?
그들은 누구니?

3.

How
_____ is he?
그는 어떻게 지내니?

4.

What
_____ is it?
그것은 무엇이니?

1주 1일

I am **a teacher.** 　나는 선생님이다.

She is **a singer.** 　그녀는 가수이다.

They are **farmers.** 　그들은 농부들이다.

1주 2일

I am not **happy.** 　나는 행복하지 않다.

You are not **hungry.** 　너는 배고프지 않다.

1주 3일

She is not **my mom.** 　그녀는 나의 엄마가 아니다.

It is not **a cat.** 　그것은 고양이가 아니다.

1주 4일

He isn't **a pilot.** 　그는 조종사가 아니다.

They aren't **tomatoes.** 　그것들은 토마토들이 아니다.

2주 1일

I eat **bananas.**   나는 바나나를 먹는다.

They like **carrots.**   그것들은 당근을 좋아한다.

2주 2일

He makes **a pizza.**   그는 피자를 만든다.

She watches **TV.**   그녀는 TV를 본다.

2주 3일

I do not read **books.**   나는 책을 읽지 않는다.

They do not drink **milk.**   그들은 우유를 마시지 않는다.

2주 4일

He does not like **cats.**   그는 고양이를 좋아하지 않는다.

It does not catch **balls.**   그것은 공을 잡지 않는다.

3주 1일

I can ride **a bike.**   나는 자전거를 탈 수 있다.

They **can run fast.**   그들은 빠르게 달릴 수 있다.

3주 2일

He **cannot walk.**   그는 걸을 수 없다.

It **cannot fly.**   그것은 날 수 없다.

3주 3일

Can **you dive?**   너는 다이빙을 할 수 있니?

Can **they jump?**   그들은 점프할 수 있니?

Can **he ride a bike?**   그는 자전거를 탈 수 있니?

3주 4일

Can you swim?   너는 수영할 수 있니?

   - Yes, I can.   응, 할 수 있어.

Can he ski?   그는 스키를 탈 수 있니?

   - No, he can't.   아니, 못해.

4주 1일

What   무엇

Who   누구

How   어떻게, 얼마나

4주 2일

What is it?   그것은 무엇이니?

  - It is a lion.   그것은 사자야.

Who is he?   그는 누구니?

  - He is my dad.   그는 나의 아빠셔.

4주 3일

What is it?   그것은 무엇이니?

  - It is an umbrella.   그것은 우산이야.

What color is it?   그것은 무슨 색이니?

  - It is red.   그것은 빨간색이야.

4주 4일

How are you?   너는 어떻게 지내니?

  - I am good.   나는 잘 지내.

How old are you?   너는 몇 살이니?

  - I am six years old.   나는 여섯 살이야.

친절한 말은 아주 짧기 때문에
말하기가 쉽다.

하지만 그 말의 메아리는 무궁무진하게
울려 퍼지는 법이다.

Kind words can be short and easy to speak,
but their echoes are truly endless.

테레사 수녀

친절한 말, 따뜻한 말 한마디는 누군가에게 커다란 힘이 될 수도 있어요.
나쁜 말 대신 좋은 말을 하게 되면 언젠가 나에게 보답으로 돌아온답니다.
앞으로 나쁘고 거친 말 대신 좋고 예쁜 말만 쓰기로 우리 약속해요!

뭘 좋아할지 몰라 다 준비했어♥
전과목 교재

전과목 시리즈 교재

●무등생 해법시리즈
– 국어/수학	1~6학년, 학기용
– 사회/과학	3~6학년, 학기용
– 봄·여름/가을·겨울	1~2학년, 학기용
– SET(전과목/국수, 국사과)	1~6학년, 학기용

●똑똑한 하루 시리즈
– 똑똑한 하루 독해	예비초~6학년, 총 14권
– 똑똑한 하루 글쓰기	예비초~6학년, 총 14권
– 똑똑한 하루 어휘	예비초~6학년, 총 14권
– 똑똑한 하루 수학	1~6학년, 학기용
– 똑똑한 하루 계산	예비초~6학년, 총 14권
– 똑똑한 하루 사고력	1~6학년, 학기용
– 똑똑한 하루 도형	예비초~6학년, 단계별
– 똑똑한 하루 사회/과학	3~6학년, 학기용
– 똑똑한 하루 봄/여름/가을/겨울	1~2학년, 총 8권
– 똑똑한 하루 안전	1~2학년, 총 2권
– 똑똑한 하루 Voca	3~6학년, 학기용
– 똑똑한 하루 Reading	초3~초6, 학기용
– 똑똑한 하루 Grammar	초3~초6, 학기용
– 똑똑한 하루 Phonics	예비초~초등, 총 8권

●초등 문해력 독해가 힘이다
– 비문학편	3~6학년, 단계별

영어 교재

●초등영어 교과서 시리즈
파닉스(1~4단계)	3~6학년, 학년용
회화(입문1~2, 1~6단계)	3~6학년, 학기용
영단어(1~4단계)	3~6학년, 학년용

●셀파 English(어휘/회화/문법)	3~6학년
●Reading Farm(Level 1~4)	3~6학년
●Grammar Town(Level 1~4)	3~6학년
●LOOK BOOK 영단어	3~6학년, 단행본
●원서 읽는 LOOK BOOK 영단어	3~6학년, 단행본
●멘토 Story Words	2~6학년, 총 6권

똑똑한 하루 Grammar

매일매일
쌓이는
영어 기초력

천재교육

정답 ✦

3학년 영어
1 B

천재교육

book.chunjae.co.kr

1주 1일

Grammar 1일 문법 쑥쑥

▶정답 1쪽

❓ 로 익혀요

be동사는 '(이)다'라는 뜻이에요. 주어에 따라 am, are, is로 달라져요.

I am a teacher.
나는 선생님이다.

She is a singer.
그녀는 가수이다.

They are farmers.
그들은 농부들이다.

여러 명이거나 여러 개일 때는
항상 are를 써야 해요.

주어와 짝이 되는 be동사

I am a cook.
나는 / 이다 / 요리사.

We are pilots.
우리들은 / 이다 / 비행사들.

He is a doctor.
그는 / 이다 / 의사.

It is a cat.
그것은 / 이다 / 고양이.

14 • 똑똑한 하루 Grammar

Ⓐ 그림을 보고, 알맞은 말에 동그라미 하세요.

1. (She is) / She are
2. It are / (It is)
3. They am / (They are)
4. I are / (I am)

Ⓑ 단어를 읽고, 알맞은 짝에 ✔표 하세요.

1. You — ✔ are / is
2. We — am / ✔ are
3. I — is / ✔ am
4. He — are / ✔ is

Level 1 B • 15

Grammar 1일 실력 쑥쑥

▶정답 1쪽

Ⓐ 그림을 보고, 알맞은 말을 골라 동그라미 하세요.

1. He (are / (is)) a teacher.
   그는 선생님이다.

2. We ((are) / am) doctors.
   우리들은 의사들이다.

3. I ((am) / are) a singer.
   나는 가수이다.

Ⓑ 그림을 보고, 빈칸에 알맞은 말을 골라 문장을 완성하세요.

1. is / are
   They __are__ pilots.
   그들은 조종사들이다.

2. am / is
   It __is__ a dog.
   그것은 개이다.

Ⓒ 주어에 알맞은 be동사(am, are, is)를 써서 문장을 완성하세요.

1. You __are__ a farmer.
   너는 농부이다.

2. She __is__ a teacher.
   그녀는 선생님이다.

3. It __is__ a cat.
   그것은 고양이이다.

Ⓓ 그림을 보고, 알맞은 말을 보기에서 골라 문장을 완성하세요.

보기 are am is

1. I __am__ a pilot.
   나는 조종사이다.

2. He __is__ a doctor.
   그는 의사이다.

3. They __are__ cooks.
   그들은 요리사들이다.

16 • 똑똑한 하루 Grammar

Level 1 B • 17

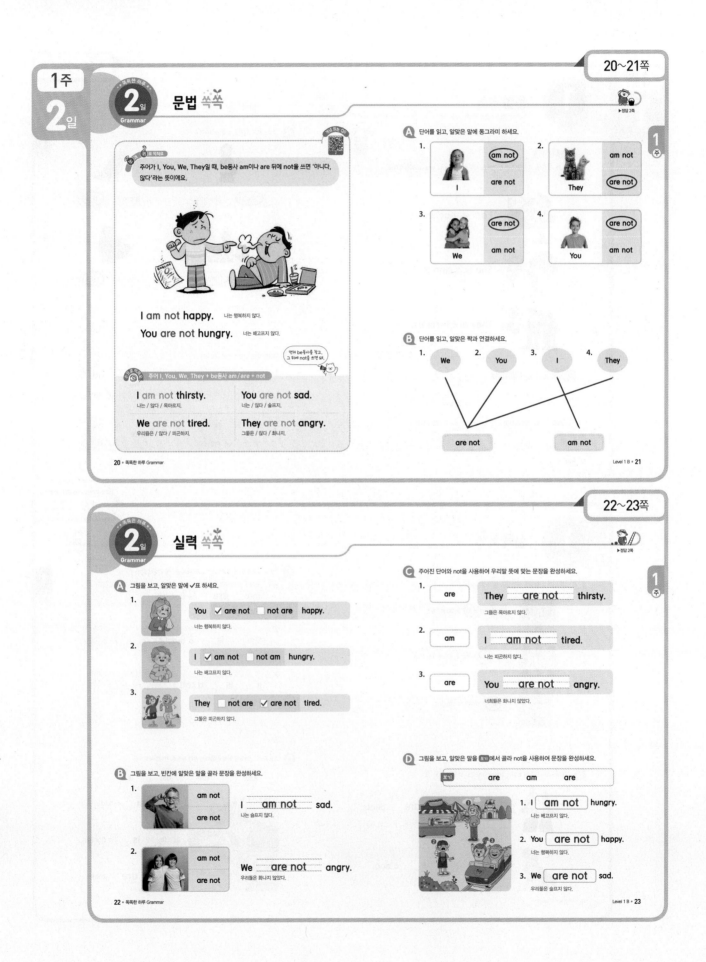

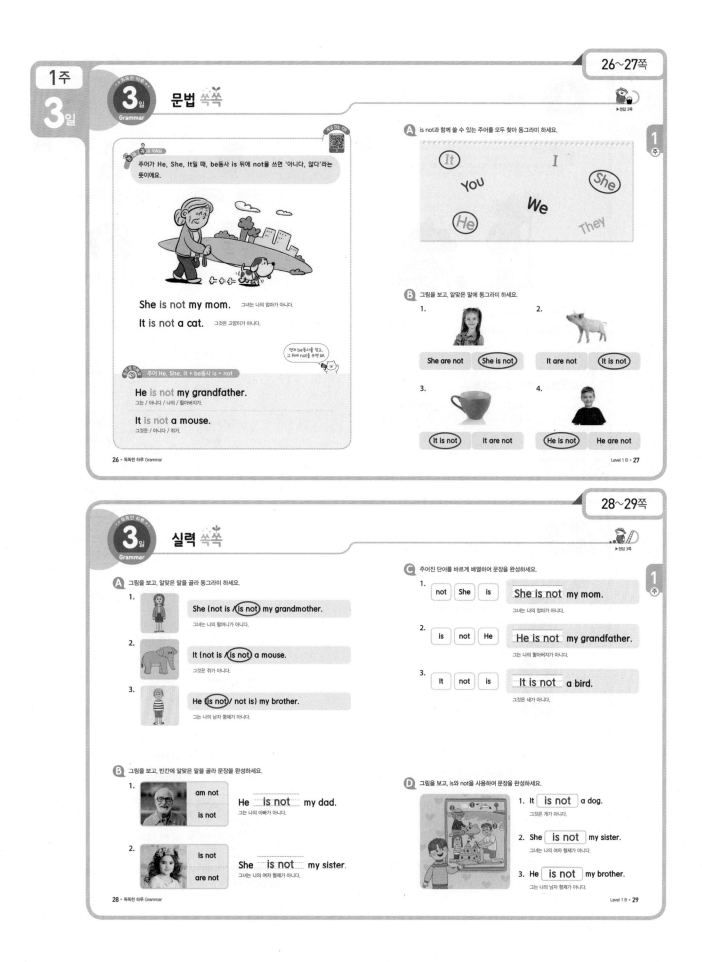

1주 3일 문법 쏙쏙 (Grammar)

주어가 He, She, It일 때, be동사 is 뒤에 not을 쓰면 '아니다, 않다'라는 뜻이에요.

She is not my mom. 그녀는 나의 엄마가 아니다.

It is not a cat. 그것은 고양이가 아니다.

먼저 be동사를 찾고, 그 뒤에 not을 쓰면 돼.

주어 He, She, It + be동사 is + not

He is not my grandfather.
그는 / 아니다 / 나의 / 할아버지가.

It is not a mouse.
그것은 / 아니다 / 쥐가.

A is not과 함께 쓸 수 있는 주어를 모두 찾아 동그라미 하세요.

It   I   She   You   We   He   They

B 그림을 보고, 알맞은 말에 동그라미 하세요.

1. She are not / She is not
2. It are not / It is not
3. It is not / It are not
4. He is not / He are not

1주 3일 실력 쏙쏙 (Grammar)

A 그림을 보고, 알맞은 말을 골라 동그라미 하세요.

1. She (not is / is not) my grandmother.
   그녀는 나의 할머니가 아니다.

2. It (not is / is not) a mouse.
   그것은 쥐가 아니다.

3. He (is not / not is) my brother.
   그는 나의 남자 형제가 아니다.

B 그림을 보고, 빈칸에 알맞은 말을 골라 문장을 완성하세요.

1. am not / is not
   He ___is not___ my dad.
   그는 나의 아빠가 아니다.

2. is not / are not
   She ___is not___ my sister.
   그녀는 나의 여자 형제가 아니다.

C 주어진 단어를 바르게 배열하여 문장을 완성하세요.

1. not / She / is
   She is not my mom.
   그녀는 나의 엄마가 아니다.

2. is / not / He
   He is not my grandfather.
   그는 나의 할아버지가 아니다.

3. It / not / is
   It is not a bird.
   그것은 새가 아니다.

D 그림을 보고, is와 not을 사용하여 문장을 완성하세요.

1. It is not a dog.
   그것은 개가 아니다.

2. She is not my sister.
   그녀는 나의 여자 형제가 아니다.

3. He is not my brother.
   그는 나의 남자 형제가 아니다.

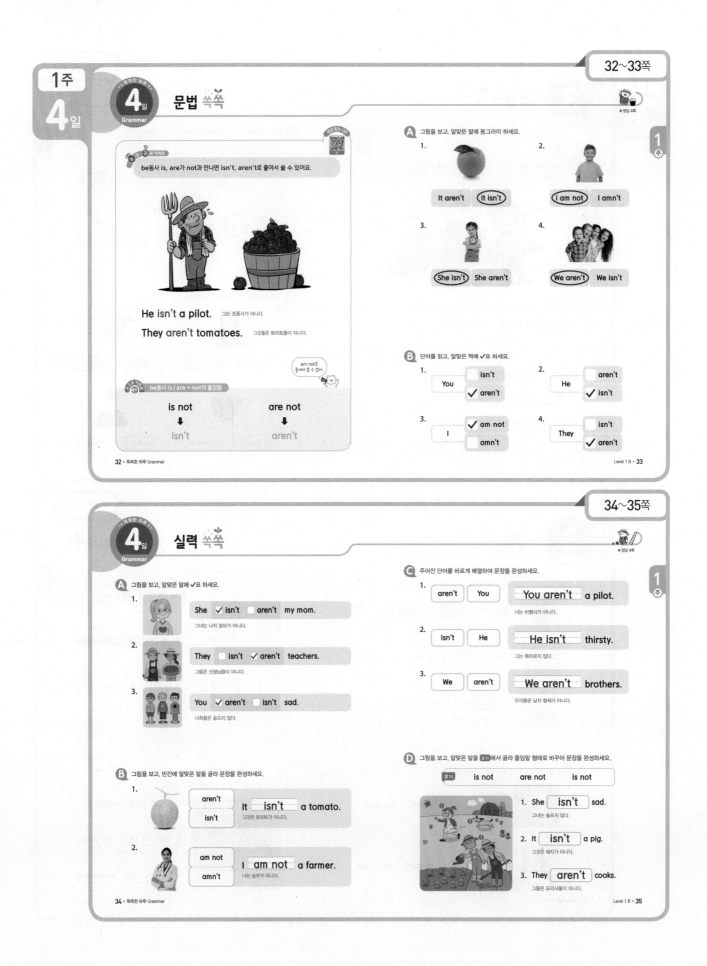

4일 문법 쏙쏙

개념 으로 익혀요

be동사 is, are가 not과 만나면 isn't, aren't로 줄여서 쓸 수 있어요.

He isn't a pilot. 그는 조종사가 아니다.
They aren't tomatoes. 그것들은 토마토들이 아니다.

am not은 줄여서 쓸 수 없어.

be동사 is / are + not의 줄임말

is not   are not
  ↓   ↓
isn't   aren't

32 · 똑똑한 하루 Grammar

A 그림을 보고, 알맞은 말에 동그라미 하세요.

1. It aren't (It isn't)
2. (I am not) I amn't
3. (She isn't) She aren't
4. (We aren't) We isn't

B 단어를 읽고, 알맞은 짝에 ✓표 하세요.

1. You ☐ isn't ✓ aren't
2. He ☐ aren't ✓ isn't
3. I ✓ am not ☐ amn't
4. They ☐ isn't ✓ aren't

Level 1 B · 33

4일 실력 쏙쏙

A 그림을 보고, 알맞은 말에 ✓표 하세요.

1. She ✓ isn't ☐ aren't my mom.
   그녀는 나의 엄마가 아니다.

2. They ☐ isn't ✓ aren't teachers.
   그들은 선생님들이 아니다.

3. You ✓ aren't ☐ isn't sad.
   너희들은 슬프지 않다.

B 그림을 보고, 빈칸에 알맞은 말을 골라 문장을 완성하세요.

1. aren't / isn't
   It isn't a tomato.
   그것은 토마토가 아니다.

2. am not / amn't
   I am not a farmer.
   나는 농부가 아니다.

34 · 똑똑한 하루 Grammar

C 주어진 단어를 바르게 배열하여 문장을 완성하세요.

1. aren't You
   You aren't a pilot.
   너는 비행사가 아니다.

2. isn't He
   He isn't thirsty.
   그는 목마르지 않다.

3. We aren't
   We aren't brothers.
   우리들은 남자 형제가 아니다.

D 그림을 보고, 알맞은 말을 보기 에서 골라 줄임말 형태로 바꾸어 문장을 완성하세요.

보기   is not   are not   is not

1. She isn't sad.
   그녀는 슬프지 않다.

2. It isn't a pig.
   그것은 돼지가 아니다.

3. They aren't cooks.
   그들은 요리사들이 아니다.

Level 1 B · 35

1주 5일 Grammar

쏙쏙 정리 ❶

▶정답 5쪽

A 그림을 보고, 알맞은 be동사(am, are, is)를 써서 문장을 완성하세요.

1. We [**are**] singers.
우리들은 가수들이다.

2. He [**is**] my brother.
그는 나의 남자 형제이다.

B 알맞은 말을 골라 우리말 뜻과 일치하도록 문장을 완성하세요.

1. ☐ are not
✔ am not
I [**am not**] a pilot.
나는 비행사가 아니다.

2. ✔ isn't
☐ aren't
She [**isn't**] hungry.
그녀는 배고프지 않다.

C 그림을 보고, 주어진 말을 바르게 배열하여 문장을 쓰세요.

1. [cook] [He] [a] [is]
➡ He is a cook.
그는 요리사이다.

2. [are] [You] [sad] [not]
➡ You are not sad.
너는 슬프지 않다.

D 밑줄 친 부분을 바르게 고쳐 문장을 다시 쓰세요.

1. It **aren't** a bat. 그것은 야구 방망이가 아니다.
➡ It isn't a bat.

2. They **is** tomatoes. 그것들은 토마토들이다.
➡ They are tomatoes.

3. I **amn't** thirsty. 나는 목마르지 않다.
➡ I am not thirsty.

38 · 똑똑한 하루 Grammar

Level 1 B · 39

1주 5일 Grammar

쏙쏙 정리 ❷

▶정답 5쪽

A 그림과 힌트를 보고, 크로스워드 퍼즐을 완성하세요.

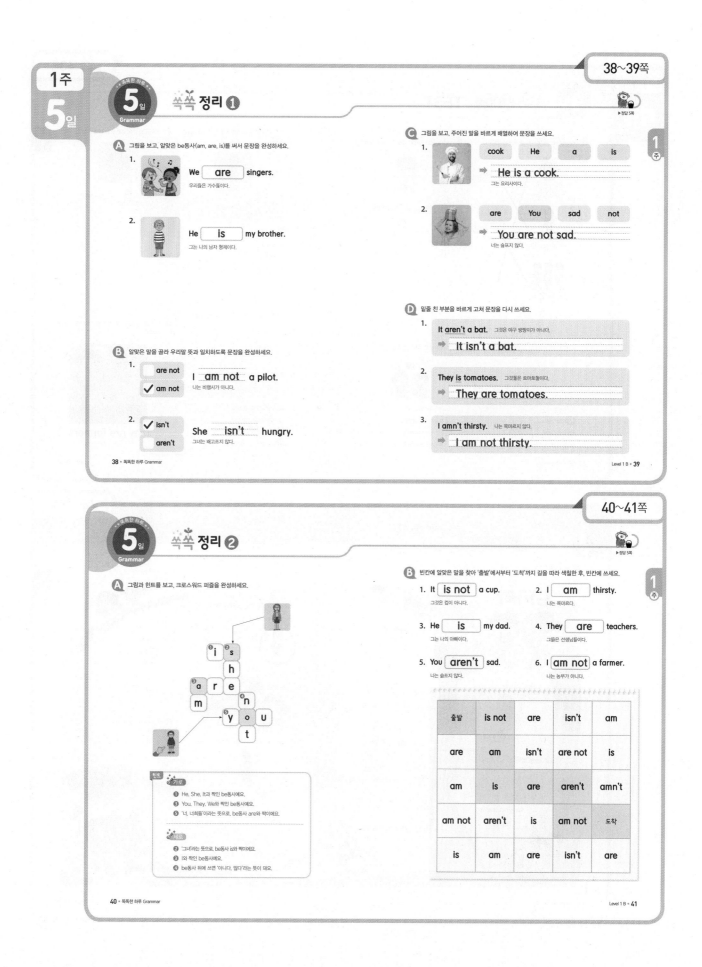

① **i** **s**
h
③ **a** **r** **e**
m ④ **n**
⑤ **y** **o** **u**
t

힌트

가로
❶ He, She, It과 짝인 be동사예요.
❸ You, They, We와 짝인 be동사예요.
❺ '너, 너희들'이라는 뜻으로, be동사 are와 짝이에요.

세로
❷ '그녀'라는 뜻으로, be동사 is와 짝이에요.
❸ I와 짝인 be동사예요.
❹ be동사 뒤에 쓰면 '아니다, 않다'라는 뜻이 돼요.

B 빈칸에 알맞은 말을 찾아 '출발'에서부터 '도착'까지 길을 따라 색칠한 후, 빈칸에 쓰세요.

1. It [**is not**] a cup.
그것은 컵이 아니다.

2. I [**am**] thirsty.
나는 목마르다.

3. He [**is**] my dad.
그는 나의 아빠이다.

4. They [**are**] teachers.
그들은 선생님들이다.

5. You [**aren't**] sad.
너는 슬프지 않다.

6. I [**am not**] a farmer.
나는 농부가 아니다.

출발	is not	are	isn't	am
are	am	isn't	are not	is
am	is	are	aren't	amn't
am not	aren't	is	am not	도착
is	am	are	isn't	are

40 · 똑똑한 하루 Grammar

Level 1 B · 41

1주
특강

1주 누구나 100점 **TEST**

맞은 개수 8개
▶정답 6쪽

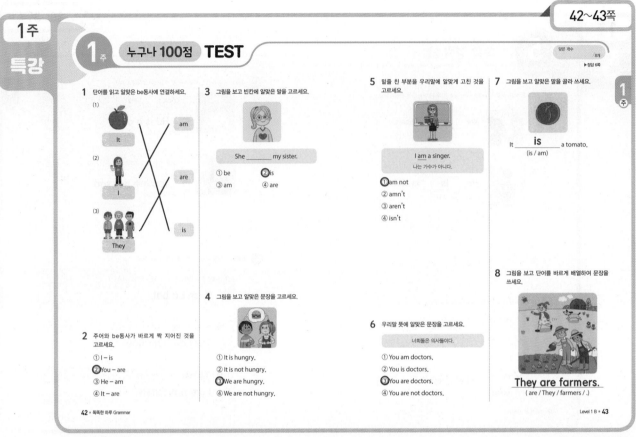

1 단어를 읽고 알맞은 be동사에 연결하세요.

(1) It — is
(2) I — am
(3) They — are

2 주어와 be동사가 바르게 짝 지어진 것을 고르세요.

① I – is
② You – are ✓
③ He – am
④ It – are

3 그림을 보고 빈칸에 알맞은 말을 고르세요.

She _____ my sister.

① be
② is ✓
③ am
④ are

4 그림을 보고 알맞은 문장을 고르세요.

① It is hungry.
② It is not hungry.
③ We are hungry. ✓
④ We are not hungry.

5 밑줄 친 부분을 우리말에 알맞게 고친 것을 고르세요.

I am a singer.
나는 가수가 아니다.

① am not ✓
② amn't
③ aren't
④ isn't

6 우리말 뜻에 알맞은 문장을 고르세요.

너희들은 의사들이다.

① You am doctors.
② You is doctors.
③ You are doctors. ✓
④ You are not doctors.

7 그림을 보고 알맞은 말을 골라 쓰세요.

It ___**is**___ a tomato.
(is / am)

8 그림을 보고 단어를 바르게 배열하여 문장을 쓰세요.

They are farmers.
(are / They / farmers / .)

42 • 똑똑한 하루 Grammar

Level 1 B • 43

1주 특강 창의·융합·코딩 ❶ **Brain** Game Zone

배운 내용을 떠올리며 말판 놀이를 해 보세요.

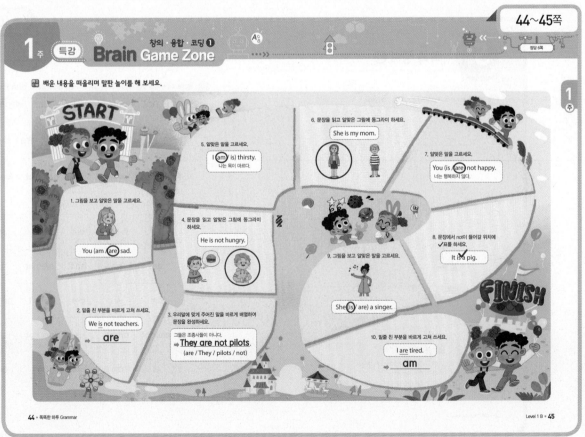

START

1. 그림을 보고 알맞은 말을 고르세요.
You (am / are) sad.

2. 밑줄 친 부분을 바르게 고쳐 쓰세요.
We is not teachers.
➡ **are**

3. 우리말에 맞게 주어진 말을 바르게 배열하여 문장을 완성하세요.
그들은 조종사들이 아니다.
➡ **They are not pilots.**
(are / They / pilots / not)

4. 문장을 읽고 알맞은 그림에 동그라미 하세요.
He is not hungry.

5. 알맞은 말을 고르세요.
I (am / is) thirsty.
나는 목이 마르다.

6. 문장을 읽고 알맞은 그림에 동그라미 하세요.
She is my mom.

7. 알맞은 말을 고르세요.
You (is / are) not happy.
너는 행복하지 않다.

8. 문장에서 not이 들어갈 위치에 ✓표를 하세요.
It is a pig.

9. 그림을 보고 알맞은 말을 고르세요.
She (is / are) a singer.

10. 밑줄 친 부분을 바르게 고쳐 쓰세요.
I are tired.
➡ **am**

FINISH

44 • 똑똑한 하루 Grammar

Level 1 B • 45

6 • 정답

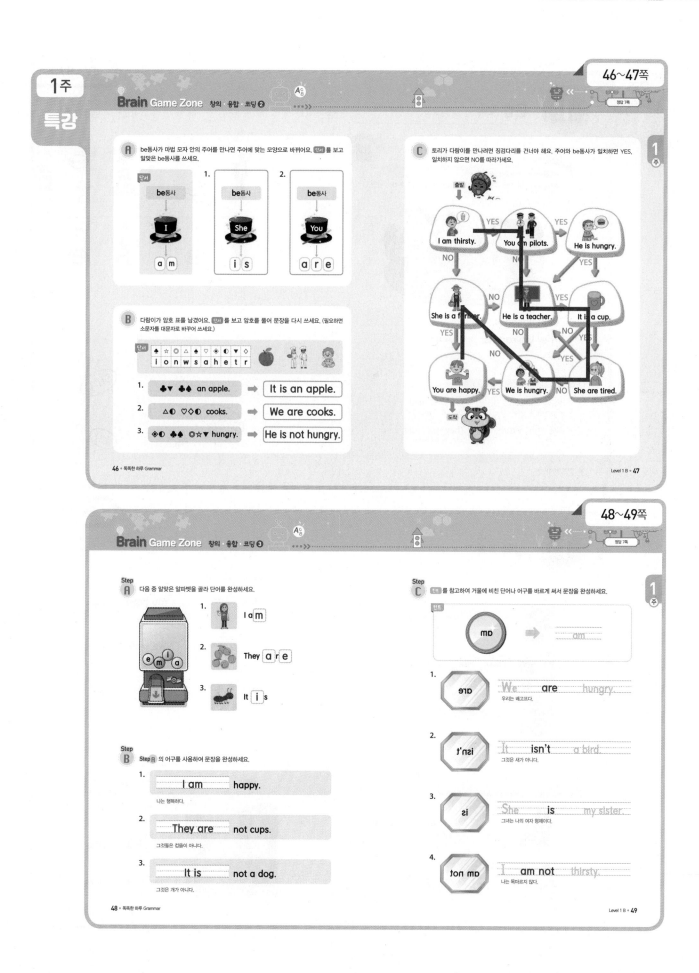

1주

특강

Brain Game Zone 창의 · 융합 · 코딩 ❷

A be동사가 마법 모자 안의 주어를 만나면 주어에 맞는 모양으로 바뀌어요. [단서] 를 보고 알맞은 be동사를 쓰세요.

단서
be동사
I
→ **a m**

1.
be동사
She
→ **i s**

2.
be동사
You
→ **a r e**

B 다람이가 암호 표를 남겼어요. [단서] 를 보고 암호를 풀어 문장을 다시 쓰세요. (필요하면 소문자를 대문자로 바꾸어 쓰세요.)

단서
♣ ☆ ◎ △ ♡ ♥ ◈ ◐ ▼ ◇
i o n w s a h e t r

1. ♣▼ ♣♠ an apple. ➡ **It is an apple.**

2. △◐ ♡◇◐ cooks. ➡ **We are cooks.**

3. ◈◐ ♣♠ ◎☆▼ hungry. ➡ **He is not hungry.**

C 토리가 다람이를 만나려면 징검다리를 건너야 해요. 주어와 be동사가 일치하면 YES, 일치하지 않으면 NO를 따라가세요.

출발

I am thirsty. — YES — You am pilots. — YES — He is hungry.
NO / NO / YES
She is a farmer. — NO — He is a teacher. — YES — It is a cup.
YES / NO / NO
NO / YES
You are happy. — YES — We is hungry. — NO — She are tired.

도착

46 · 똑똑한 하루 Grammar

Level 1 B · 47

Brain Game Zone 창의 · 융합 · 코딩 ❸

Step A 다음 중 알맞은 알파벳을 골라 단어를 완성하세요.

e m i a

1. I a **m**

2. They a **r** e

3. It **i** s

Step B Step A 의 어구를 사용하여 문장을 완성하세요.

1. **I am** happy.
나는 행복하다.

2. **They are** not cups.
그것들은 컵들이 아니다.

3. **It is** not a dog.
그것은 개가 아니다.

Step C [힌트] 를 참고하여 거울에 비친 단어나 어구를 바르게 써서 문장을 완성하세요.

힌트
ɯɒ ➡ am

1. ɘɿɒ We **are** hungry.
우리는 배고프다.

2. ɟ'nƨi It **isn't** a bird.
그것은 새가 아니다.

3. ƨi She **is** my sister.
그녀는 나의 여자 형제이다.

4. ʇon ɯɒ I **am not** thirsty.
나는 목마르지 않다.

48 · 똑똑한 하루 Grammar

Level 1 B · 49

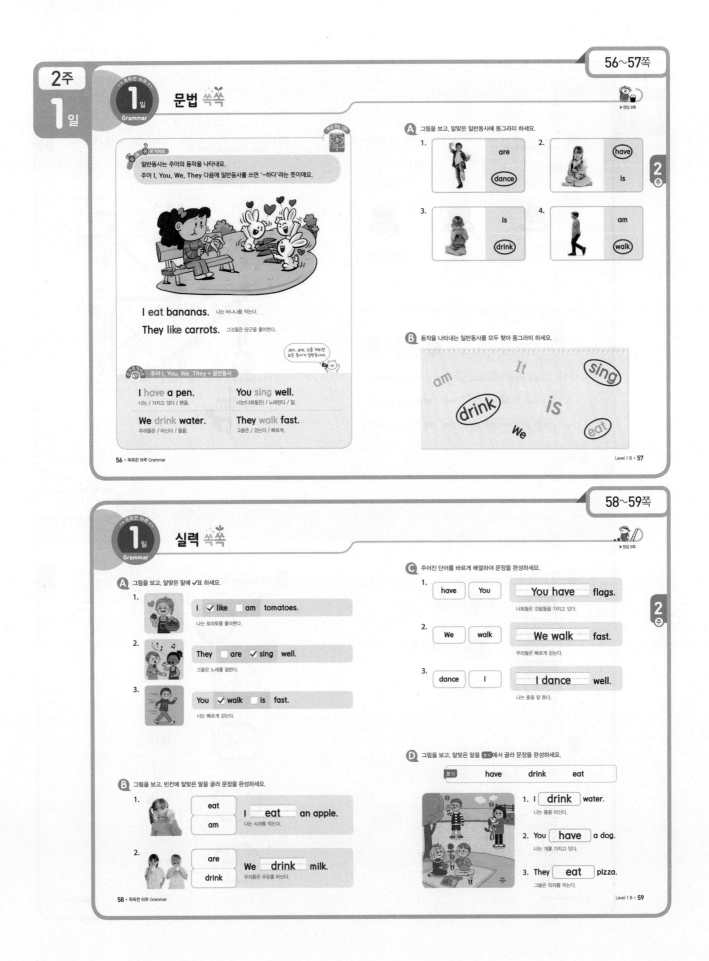

2주

1일
Grammar

문법 쏙쏙

▶정답 8쪽

꼭꼭(귀)로 박히요

일반동사는 주어의 동작을 나타내요.
주어 I, You, We, They 다음에 일반동사를 쓰면 '~하다'라는 뜻이에요.

I eat bananas. 나는 바나나를 먹는다.
They like carrots. 그것들은 당근을 좋아한다.

am, are, is를 제외한
모든 동사가 일반동사야.

주어 I, You, We, They + 일반동사

I have a pen.
나는 / 가지고 있다 / 펜을.

You sing well.
너는(너희들은) / 노래한다 / 잘.

We drink water.
우리들은 / 마신다 / 물을.

They walk fast.
그들은 / 걷는다 / 빠르게.

56 ∘ 똑똑한 하루 Grammar

Ⓐ 그림을 보고, 알맞은 일반동사에 동그라미 하세요.

1. are / (dance)
2. (have) / is
3. is / (drink)
4. am / (walk)

Ⓑ 동작을 나타내는 일반동사를 모두 찾아 동그라미 하세요.

am   It   (sing)
(drink)   is
We   (eat)

Level 1 B ∘ 57

2주

1일
Grammar

실력 쏙쏙

▶정답 8쪽

Ⓐ 그림을 보고, 알맞은 말에 ✓표 하세요.

1. I ✓like ☐am tomatoes.
나는 토마토를 좋아한다.

2. They ☐are ✓sing well.
그들은 노래를 잘한다.

3. You ✓walk ☐is fast.
너는 빠르게 걷는다.

Ⓒ 주어진 단어를 바르게 배열하여 문장을 완성하세요.

1. have / You → You have flags.
너희들은 깃발들을 가지고 있다.

2. We / walk → We walk fast.
우리들은 빠르게 걷는다.

3. dance / I → I dance well.
나는 춤을 잘 춘다.

Ⓑ 그림을 보고, 빈칸에 알맞은 말을 골라 문장을 완성하세요.

1. eat / am
I eat an apple.
나는 사과를 먹는다.

2. are / drink
We drink milk.
우리들은 우유를 마신다.

Ⓓ 그림을 보고, 알맞은 말을 보기 에서 골라 문장을 완성하세요.

보기   have   drink   eat

1. I drink water.
나는 물을 마신다.

2. You have a dog.
너는 개를 가지고 있다.

3. They eat pizza.
그들은 피자를 먹는다.

58 ∘ 똑똑한 하루 Grammar

Level 1 B ∘ 59

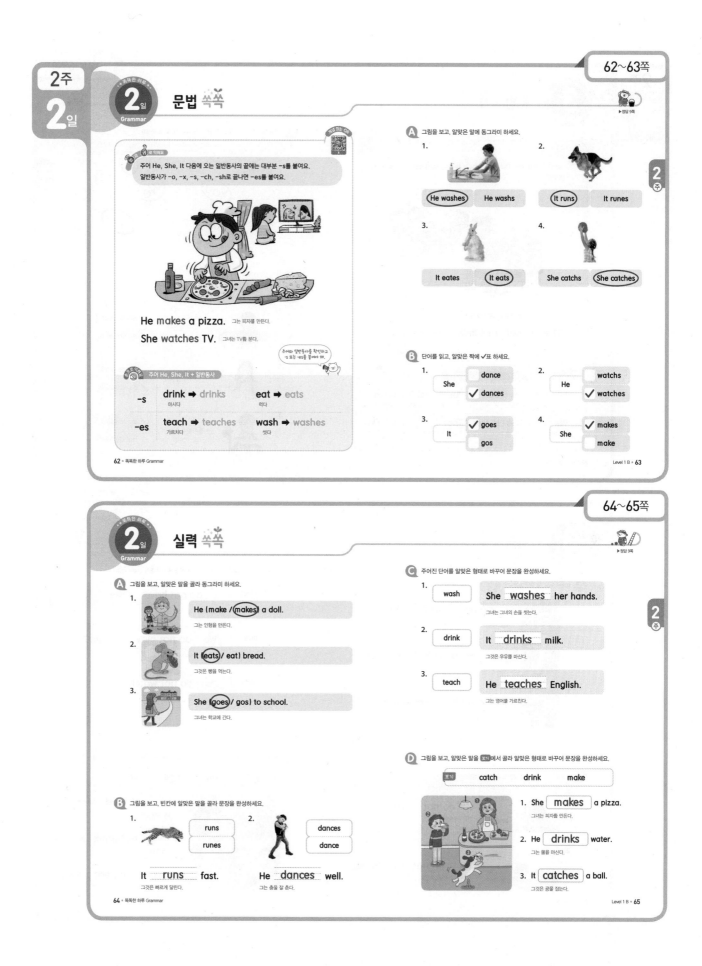

2주 2일

2일 Grammar 문법 쏙쏙

▶정답 9쪽

귀로 익혀요

주어 He, She, It 다음에 오는 일반동사의 끝에는 대부분 -s를 붙여요.
일반동사가 -o, -x, -s, -ch, -sh로 끝나면 -es를 붙여요.

He makes a pizza. 그는 피자를 만든다.
She watches TV. 그녀는 TV를 본다.

주어와 일반동사를 확인하고
-s 또는 -es를 붙여야 해요.

주어 He, She, It + 일반동사

-s	drink ➡ drinks 마시다	eat ➡ eats 먹다
-es	teach ➡ teaches 가르치다	wash ➡ washes 씻다

62 ● 똑똑한 하루 Grammar

A 그림을 보고, 알맞은 말에 동그라미 하세요.

1. (He washes) / He washs
2. (It runs) / It runes
3. It eates / (It eats)
4. She catchs / (She catches)

B 단어를 읽고, 알맞은 짝에 ✔표 하세요.

1. She [ ] dance / [✔] dances
2. He [ ] watchs / [✔] watches
3. It [✔] goes / [ ] gos
4. She [✔] makes / [ ] make

Level 1 B ● 63

2일 Grammar 실력 쏙쏙

▶정답 9쪽

A 그림을 보고, 알맞은 말을 골라 동그라미 하세요.

1. He (make / (makes)) a doll.
   그는 인형을 만든다.
2. It ((eats) / eat) bread.
   그것은 빵을 먹는다.
3. She ((goes) / gos) to school.
   그녀는 학교에 간다.

B 그림을 보고, 빈칸에 알맞은 말을 골라 문장을 완성하세요.

1. runs / runes
   It ___runs___ fast.
   그것은 빠르게 달린다.
2. dances / dance
   He ___dances___ well.
   그는 춤을 잘 춘다.

64 ● 똑똑한 하루 Grammar

C 주어진 단어를 알맞은 형태로 바꾸어 문장을 완성하세요.

1. wash
   She ___washes___ her hands.
   그녀는 그녀의 손을 씻는다.
2. drink
   It ___drinks___ milk.
   그것은 우유를 마신다.
3. teach
   He ___teaches___ English.
   그는 영어를 가르친다.

D 그림을 보고, 알맞은 말을 보기에서 골라 알맞은 형태로 바꾸어 문장을 완성하세요.

보기 catch   drink   make

1. She ___makes___ a pizza.
   그녀는 피자를 만든다.
2. He ___drinks___ water.
   그는 물을 마신다.
3. It ___catches___ a ball.
   그것은 공을 잡는다.

Level 1 B ● 65

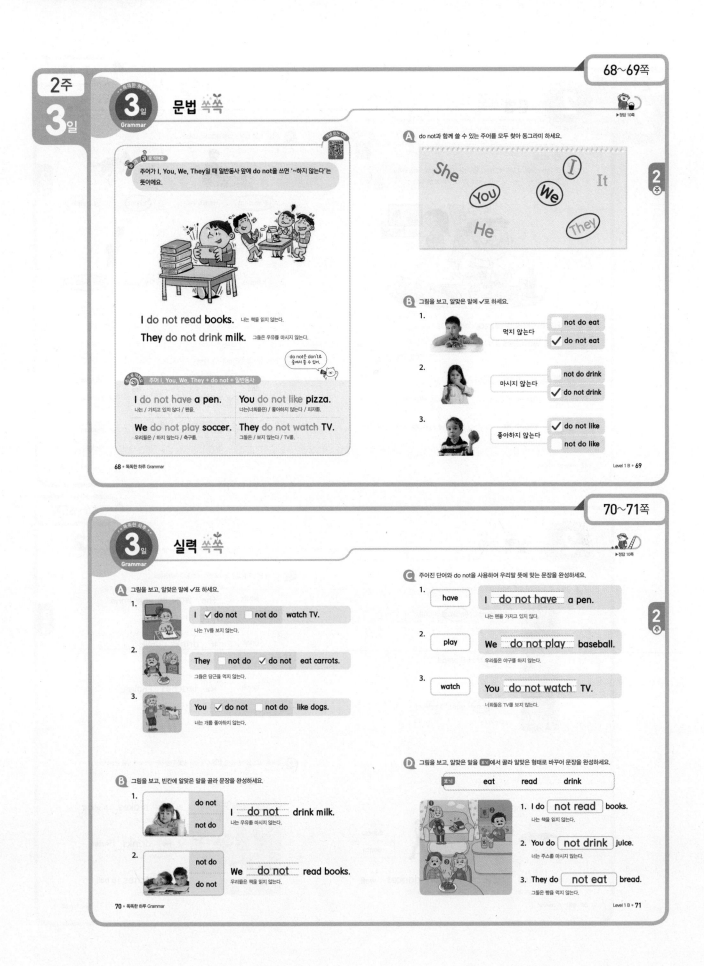

2주

3일
Grammar

문법 쏙쏙

▶정답 10쪽

귀로 익혀요

주어가 I, You, We, They일 때 일반동사 앞에 do not을 쓰면 '~하지 않는다'는 뜻이에요.

I do not read **books.** 나는 책을 읽지 않는다.
They do not drink **milk.** 그들은 우유를 마시지 않는다.

do not은 don't로 줄여서 쓸 수 있어.

주어 I, You, We, They + do not + 일반동사

I do not have **a pen.**   **You** do not like **pizza.**
나는 / 가지고 있지 않다 / 펜을.   너는(너희들은) / 좋아하지 않는다 / 피자를.

We do not play **soccer.**   **They** do not watch **TV.**
우리들은 / 하지 않는다 / 축구를.   그들은 / 보지 않는다 / TV를.

68 • 똑똑한 하루 Grammar

Ⓐ do not과 함께 쓸 수 있는 주어를 모두 찾아 동그라미 하세요.

She   (I)   It
(You)   (We)
He   (They)

Ⓑ 그림을 보고, 알맞은 말에 ✓표 하세요.

1. 먹지 않는다   ☐ not do eat   ✓ do not eat

2. 마시지 않는다   ☐ not do drink   ✓ do not drink

3. 좋아하지 않는다   ✓ do not like   ☐ not do like

Level 1 B • 69

3일
Grammar

실력 쏙쏙

▶정답 10쪽

Ⓐ 그림을 보고, 알맞은 말에 ✓표 하세요.

1. I ✓ do not ☐ not do watch TV.
나는 TV를 보지 않는다.

2. They ☐ not do ✓ do not eat carrots.
그들은 당근을 먹지 않는다.

3. You ✓ do not ☐ not do like dogs.
너는 개를 좋아하지 않는다.

Ⓑ 그림을 보고, 빈칸에 알맞은 말을 골라 문장을 완성하세요.

1. do not / not do
I do not drink milk.
나는 우유를 마시지 않는다.

2. not do / do not
We do not read books.
우리들은 책을 읽지 않는다.

70 • 똑똑한 하루 Grammar

Ⓒ 주어진 단어와 do not을 사용하여 우리말 뜻에 맞는 문장을 완성하세요.

1. have
I do not have a pen.
나는 펜을 가지고 있지 않다.

2. play
We do not play baseball.
우리들은 야구를 하지 않는다.

3. watch
You do not watch TV.
너희들은 TV를 보지 않는다.

Ⓓ 그림을 보고, 알맞은 말을 보기에서 골라 알맞은 형태로 바꾸어 문장을 완성하세요.

보기   eat   read   drink

1. I do not read books.
나는 책을 읽지 않는다.

2. You do not drink juice.
너는 주스를 마시지 않는다.

3. They do not eat bread.
그들은 빵을 먹지 않는다.

Level 1 B • 71

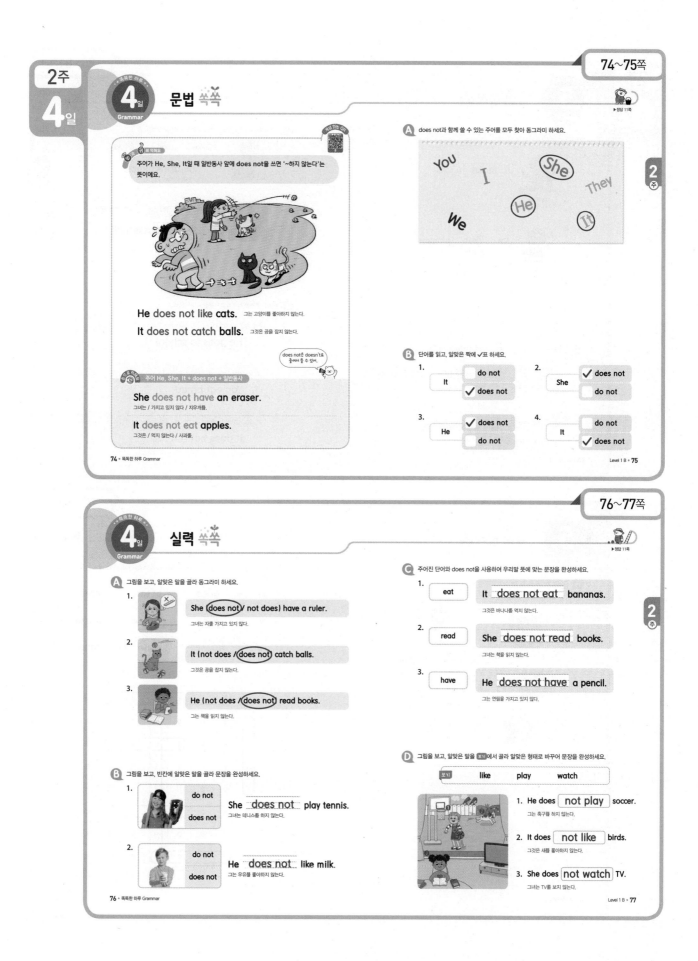

2주 4일

4일 Grammar 문법 쑥쑥

▶정답 11쪽

주어가 He, She, It일 때 일반동사 앞에 does not을 쓰면 '~하지 않는다'는 뜻이에요.

He does not like cats. 그는 고양이를 좋아하지 않는다.

It does not catch balls. 그것은 공을 잡지 않는다.

does not은 doesn't로 줄여서 쓸 수 있어.

주어 He, She, It + does not + 일반동사

She does not have an eraser.
그녀는 / 가지고 있지 않다 / 지우개를.

It does not eat apples.
그것은 / 먹지 않는다 / 사과를.

74 • 똑똑한 하루 Grammar

Ⓐ does not과 함께 쓸 수 있는 주어를 모두 찾아 동그라미 하세요.

You I ⟨She⟩ They We ⟨He⟩ ⟨It⟩

Ⓑ 단어를 읽고, 알맞은 짝에 ✓표 하세요.

1. It
□ do not
✓ does not

2. She
✓ does not
□ do not

3. He
✓ does not
□ do not

4. It
□ do not
✓ does not

Level 1 B • 75

4일 Grammar 실력 쑥쑥

▶정답 11쪽

Ⓐ 그림을 보고, 알맞은 말을 골라 동그라미 하세요.

1. She (⟨does not⟩ / not does) have a ruler.
그녀는 자를 가지고 있지 않다.

2. It (not does / ⟨does not⟩) catch balls.
그것은 공을 잡지 않는다.

3. He (not does / ⟨does not⟩) read books.
그는 책을 읽지 않는다.

Ⓑ 그림을 보고, 빈칸에 알맞은 말을 골라 문장을 완성하세요.

1. □ do not / ✓ does not
She _does not_ play tennis.
그녀는 테니스를 하지 않는다.

2. □ do not / ✓ does not
He _does not_ like milk.
그는 우유를 좋아하지 않는다.

76 • 똑똑한 하루 Grammar

Ⓒ 주어진 단어와 does not을 사용하여 우리말 뜻에 맞는 문장을 완성하세요.

1. eat
It _does not eat_ bananas.
그것은 바나나를 먹지 않는다.

2. read
She _does not read_ books.
그녀는 책을 읽지 않는다.

3. have
He _does not have_ a pencil.
그는 연필을 가지고 있지 않다.

Ⓓ 그림을 보고, 알맞은 말을 보기에서 골라 알맞은 형태로 바꾸어 문장을 완성하세요.

보기 like play watch

1. He does _not play_ soccer.
그는 축구를 하지 않는다.

2. It does _not like_ birds.
그것은 새를 좋아하지 않는다.

3. She does _not watch_ TV.
그녀는 TV를 보지 않는다.

Level 1 B • 77

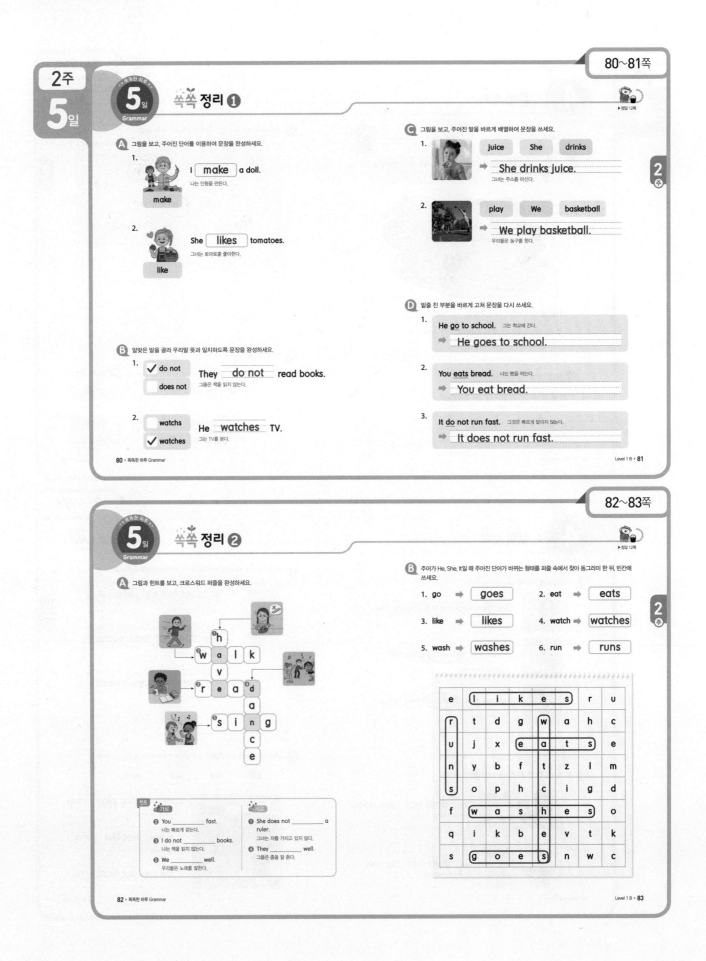

2주
5일

5일 Grammar
쏙쏙 정리 ❶

▶정답 12쪽

Ⓐ 그림을 보고, 주어진 단어를 이용하여 문장을 완성하세요.

1. I [make] a doll.
나는 인형을 만든다.
make

2. She [likes] tomatoes.
그녀는 토마토를 좋아한다.
like

Ⓑ 알맞은 말을 골라 우리말 뜻과 일치하도록 문장을 완성하세요.

1. ✓ do not
☐ does not
They [do not] read books.
그들은 책을 읽지 않는다.

2. ☐ watchs
✓ watches
He [watches] TV.
그는 TV를 본다.

Ⓒ 그림을 보고, 주어진 말을 바르게 배열하여 문장을 쓰세요.

1. [juice] [She] [drinks]
➡ She drinks juice.
그녀는 주스를 마신다.

2. [play] [We] [basketball]
➡ We play basketball.
우리들은 농구를 한다.

Ⓓ 밑줄 친 부분을 바르게 고쳐 문장을 다시 쓰세요.

1. He go to school. 그는 학교에 간다.
➡ He goes to school.

2. You eats bread. 너는 빵을 먹는다.
➡ You eat bread.

3. It do not run fast. 그것은 빠르게 달리지 않는다.
➡ It does not run fast.

80 • 똑똑한 하루 Grammar

Level 1 B • 81

5일 Grammar
쏙쏙 정리 ❷

▶정답 12쪽

Ⓐ 그림과 힌트를 보고, 크로스워드 퍼즐을 완성하세요.

```
        h
      W a l k
        v
    r e a d
          a
      s i n g
          c
          e
```

힌트

가로
❷ You _____ fast.
너는 빠르게 걷는다.
❸ I do not _____ books.
나는 책을 읽지 않는다.
❺ We _____ well.
우리들은 노래를 잘한다.

세로
❶ She does not _____ a ruler.
그녀는 자를 가지고 있지 않다.
❹ They _____ well.
그들은 춤을 잘 춘다.

Ⓑ 주어가 He, She, It일 때 주어진 단어가 바뀌는 형태를 퍼즐 속에서 찾아 동그라미 한 뒤, 빈칸에 쓰세요.

1. go ➡ [goes]   2. eat ➡ [eats]

3. like ➡ [likes]   4. watch ➡ [watches]

5. wash ➡ [washes]   6. run ➡ [runs]

e	l	i	k	e	s	r	u
r	t	d	g	w	a	h	c
u	j	x	e	a	t	s	e
n	y	b	f	t	z	l	m
s	o	p	h	c	i	g	d
f	w	a	s	h	e	s	o
q	i	k	b	e	v	t	k
s	g	o	e	s	n	w	c

82 • 똑똑한 하루 Grammar

Level 1 B • 83

2주 **특강**

2주 누구나 100점 TEST

맞은 개수 6개
▶정답 13쪽

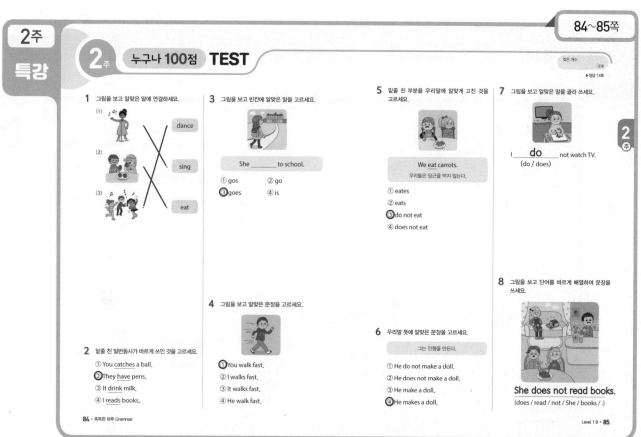

1 그림을 보고 알맞은 말에 연결하세요.

(1) — dance
(2) — sing
(3) — eat

2 밑줄 친 일반동사가 바르게 쓰인 것을 고르세요.
① You catches a ball.
② They have pens.
③ It drink milk.
④ I reads books.

3 그림을 보고 빈칸에 알맞은 말을 고르세요.

She _____ to school.

① gos ② go
③ goes ④ is

4 그림을 보고 알맞은 문장을 고르세요.
① You walk fast.
② I walks fast.
③ It walks fast.
④ He walk fast.

5 밑줄 친 부분을 우리말에 알맞게 고친 것을 고르세요.

We eat carrots.
우리들은 당근을 먹지 않는다.

① eates
② eats
③ do not eat
④ does not eat

6 우리말 뜻에 알맞은 문장을 고르세요.

그는 인형을 만든다.

① He do not make a doll.
② He does not make a doll.
③ He make a doll.
④ He makes a doll.

7 그림을 보고 알맞은 말을 골라 쓰세요.

I _**do**_ not watch TV.
(do / does)

8 그림을 보고 단어를 바르게 배열하여 문장을 쓰세요.

She does not read books.
(does / read / not / She / books / .)

84 • 똑똑한 하루 Grammar

Level 1 B • 85

2주 **특강** **Brain Game Zone** 창의·융합·코딩 ❶

정답 13쪽

🖐 배운 내용을 떠올리며 말판 놀이를 해 보세요.

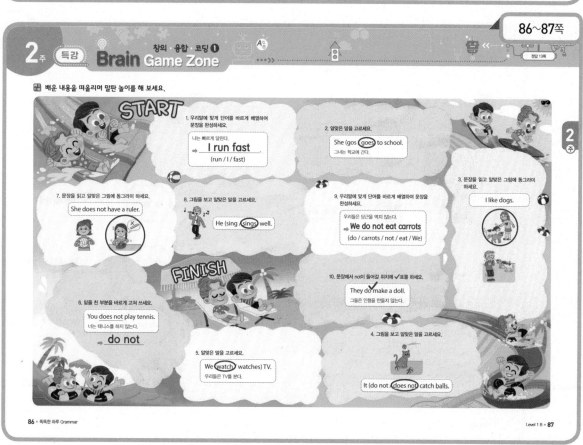

START

1. 우리말에 맞게 단어를 바르게 배열하여 문장을 완성하세요.
나는 빠르게 달린다.
➡ **I run fast**
(run / I / fast)

2. 알맞은 말을 고르세요.
She (gos / goes) to school.
그녀는 학교에 간다.

3. 문장을 읽고 알맞은 그림에 동그라미 하세요.
I like dogs.

7. 문장을 읽고 알맞은 그림에 동그라미 하세요.
She does not have a ruler.

8. 그림을 보고 알맞은 말을 고르세요.
He (sing / sings) well.

9. 우리말에 맞게 단어를 바르게 배열하여 문장을 완성하세요.
우리들은 당근을 먹지 않는다.
➡ **We do not eat carrots**
(do / carrots / not / eat / We)

FINISH

6. 밑줄 친 부분을 바르게 고쳐 쓰세요.
You does not play tennis.
너는 테니스를 하지 않는다.
➡ **do not**

10. 문장에서 not이 들어갈 위치에 ✔표를 하세요.
They do ✔ make a doll.
그들은 인형을 만들지 않는다.

5. 알맞은 말을 고르세요.
We (watch / watches) TV.
우리들은 TV를 본다.

4. 그림을 보고 알맞은 말을 고르세요.
It (do not / does not) catch balls.

86 • 똑똑한 하루 Grammar

Level 1 B • 87

정답 • **13**

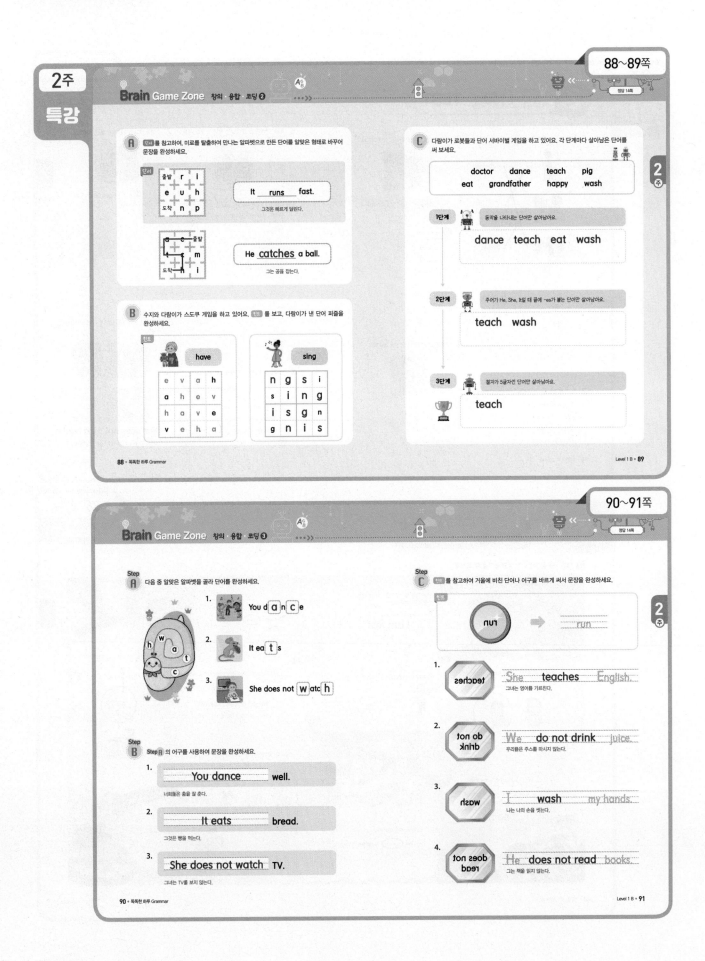

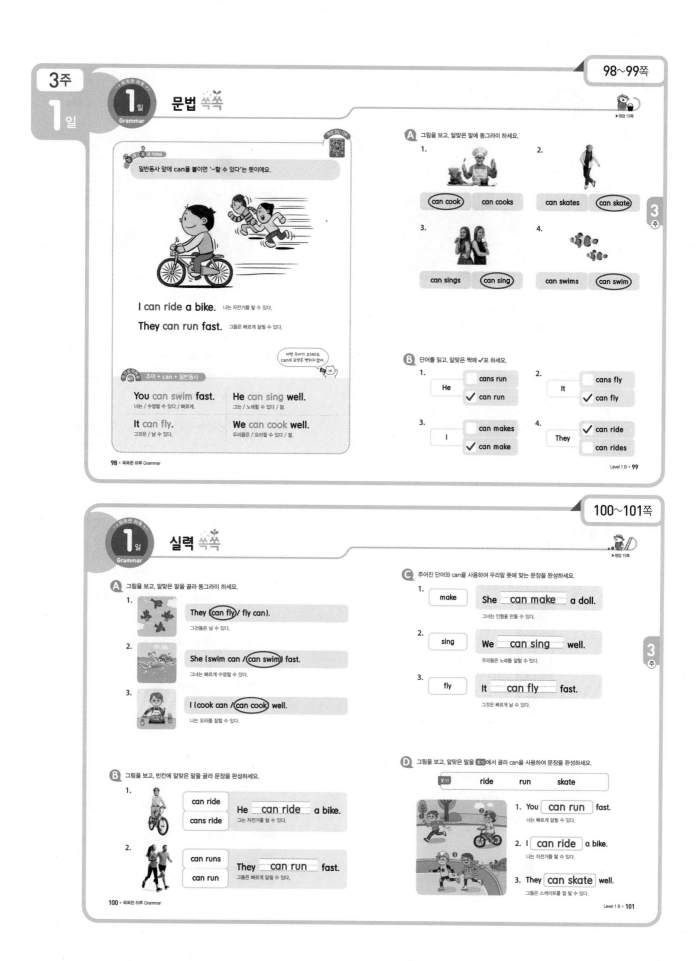

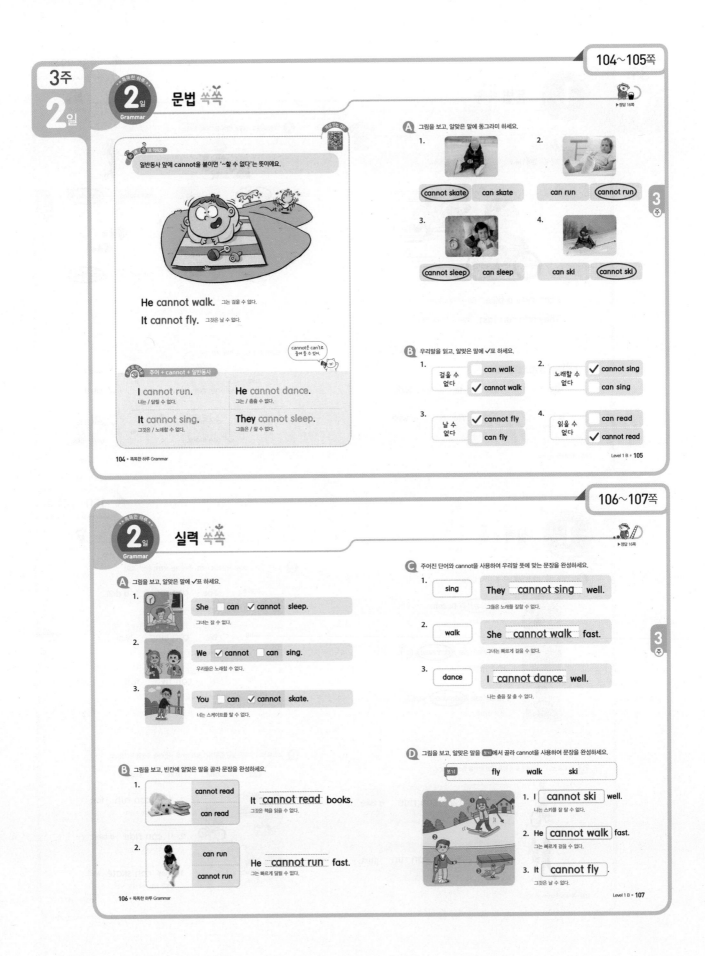

3주

2일

2일 문법 쑥쑥
Grammar

▶정답 16쪽

규칙을 익혀요

일반동사 앞에 cannot을 붙이면 '~할 수 없다'는 뜻이에요.

He cannot walk. 그는 걸을 수 없다.

It cannot fly. 그것은 날 수 없다.

cannot은 can't로 줄여 쓸 수 있어.

주어 + cannot + 일반동사

I cannot run. 나는 / 달릴 수 없다.

He cannot dance. 그는 / 춤출 수 없다.

It cannot sing. 그것은 / 노래할 수 없다.

They cannot sleep. 그들은 / 잘 수 없다.

104 • 똑똑한 하루 Grammar

Ⓐ 그림을 보고, 알맞은 말에 동그라미 하세요.

1. (cannot skate) can skate

2. can run (cannot run)

3. (cannot sleep) can sleep

4. can ski (cannot ski)

Ⓑ 우리말을 읽고, 알맞은 말에 ✓표 하세요.

1. 걸을 수 없다
   ☐ can walk
   ✓ cannot walk

2. 노래할 수 없다
   ✓ cannot sing
   ☐ can sing

3. 날 수 없다
   ✓ cannot fly
   ☐ can fly

4. 읽을 수 없다
   ☐ can read
   ✓ cannot read

Level 1 B • 105

2일 실력 쑥쑥
Grammar

▶정답 16쪽

Ⓐ 그림을 보고, 알맞은 말에 ✓표 하세요.

1. She ☐ can ✓ cannot sleep.
   그녀는 잘 수 없다.

2. We ✓ cannot ☐ can sing.
   우리들은 노래할 수 없다.

3. You ☐ can ✓ cannot skate.
   너는 스케이트를 탈 수 없다.

Ⓑ 그림을 보고, 빈칸에 알맞은 말을 골라 문장을 완성하세요.

1. cannot read / can read
   It __cannot read__ books.
   그것은 책을 읽을 수 없다.

2. can run / cannot run
   He __cannot run__ fast.
   그는 빠르게 달릴 수 없다.

106 • 똑똑한 하루 Grammar

Ⓒ 주어진 단어와 cannot을 사용하여 우리말 뜻에 맞는 문장을 완성하세요.

1. sing
   They __cannot sing__ well.
   그들은 노래를 잘할 수 없다.

2. walk
   She __cannot walk__ fast.
   그녀는 빠르게 걸을 수 없다.

3. dance
   I __cannot dance__ well.
   나는 춤을 잘 출 수 없다.

Ⓓ 그림을 보고, 알맞은 말을 보기에서 골라 cannot을 사용하여 문장을 완성하세요.

보기 fly walk ski

1. I __cannot ski__ well.
   나는 스키를 잘 탈 수 없다.

2. He __cannot walk__ fast.
   그는 빠르게 걸을 수 없다.

3. It __cannot fly__ .
   그것은 날 수 없다.

Level 1 B • 107

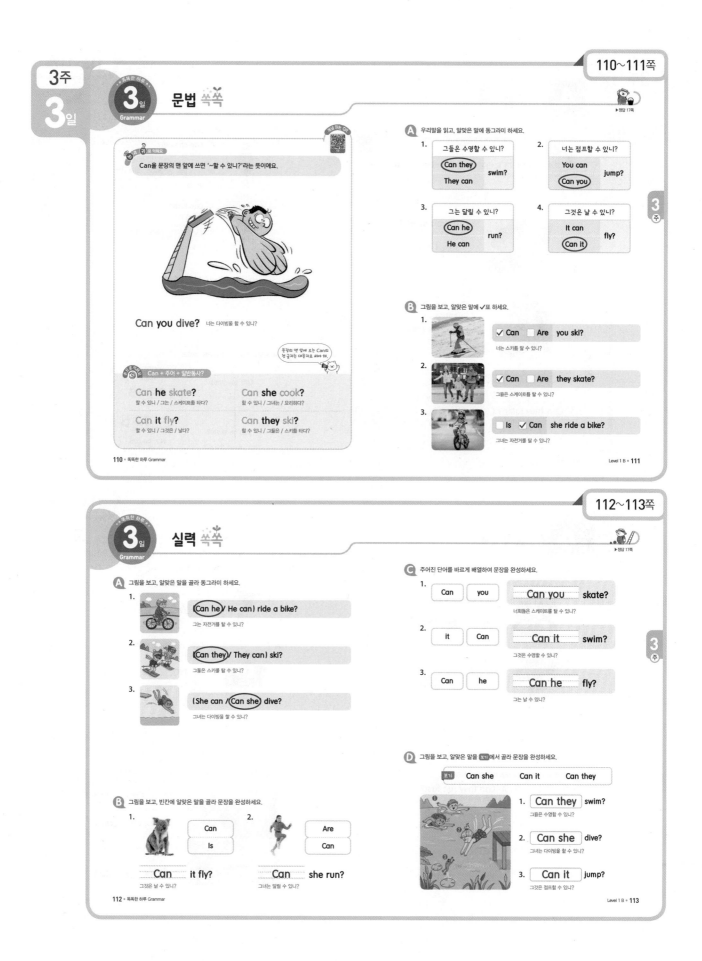

3주 3일 문법 쏙쏙

▶정답 17쪽

Can을 문장의 맨 앞에 쓰면 '~할 수 있니?'라는 뜻이에요.

Can you dive? 너는 다이빙을 할 수 있니?

문장의 맨 앞에 오는 Can의 첫 글자는 대문자로 써야 해요.

Can + 주어 + 일반동사?

Can he skate?
할 수 있니 / 그는 / 스케이트를 타다?

Can she cook?
할 수 있니 / 그녀는 / 요리하다?

Can it fly?
할 수 있니 / 그것은 / 날다?

Can they ski?
할 수 있니 / 그들은 / 스키를 타다?

110 • 똑똑한 하루 Grammar

A 우리말을 읽고, 알맞은 말에 동그라미 하세요.

1. 그들은 수영할 수 있니?
(Can they) / They can / swim?

2. 너는 점프할 수 있니?
You can / (Can you) / jump?

3. 그는 달릴 수 있니?
(Can he) / He can / run?

4. 그것은 날 수 있니?
It can / (Can it) / fly?

B 그림을 보고, 알맞은 말에 ✓표 하세요.

1. ✓ Can ☐ Are they ski?
너는 스키를 탈 수 있니?

2. ✓ Can ☐ Are they skate?
그들은 스케이트를 탈 수 있니?

3. ☐ Is ✓ Can she ride a bike?
그녀는 자전거를 탈 수 있니?

Level 1 B • 111

3주 3일 실력 쏙쏙

▶정답 17쪽

A 그림을 보고, 알맞은 말을 골라 동그라미 하세요.

1. (Can he) / He can / ride a bike?
그는 자전거를 탈 수 있니?

2. (Can they) / They can / ski?
그들은 스키를 탈 수 있니?

3. (She can / (Can she)) dive?
그녀는 다이빙을 할 수 있니?

B 그림을 보고, 빈칸에 알맞은 말을 골라 문장을 완성하세요.

1. Can / Is
Can it fly?
그것은 날 수 있니?

2. Are / Can
Can she run?
그녀는 달릴 수 있니?

C 주어진 단어를 바르게 배열하여 문장을 완성하세요.

1. Can | you
Can you skate?
너희들은 스케이트를 탈 수 있니?

2. it | Can
Can it swim?
그것은 수영할 수 있니?

3. Can | he
Can he fly?
그는 날 수 있니?

D 그림을 보고, 알맞은 말을 보기에서 골라 문장을 완성하세요.

보기 Can she   Can it   Can they

1. Can they swim?
그들은 수영할 수 있니?

2. Can she dive?
그녀는 다이빙을 할 수 있니?

3. Can it jump?
그것은 점프할 수 있니?

112 • 똑똑한 하루 Grammar

Level 1 B • 113

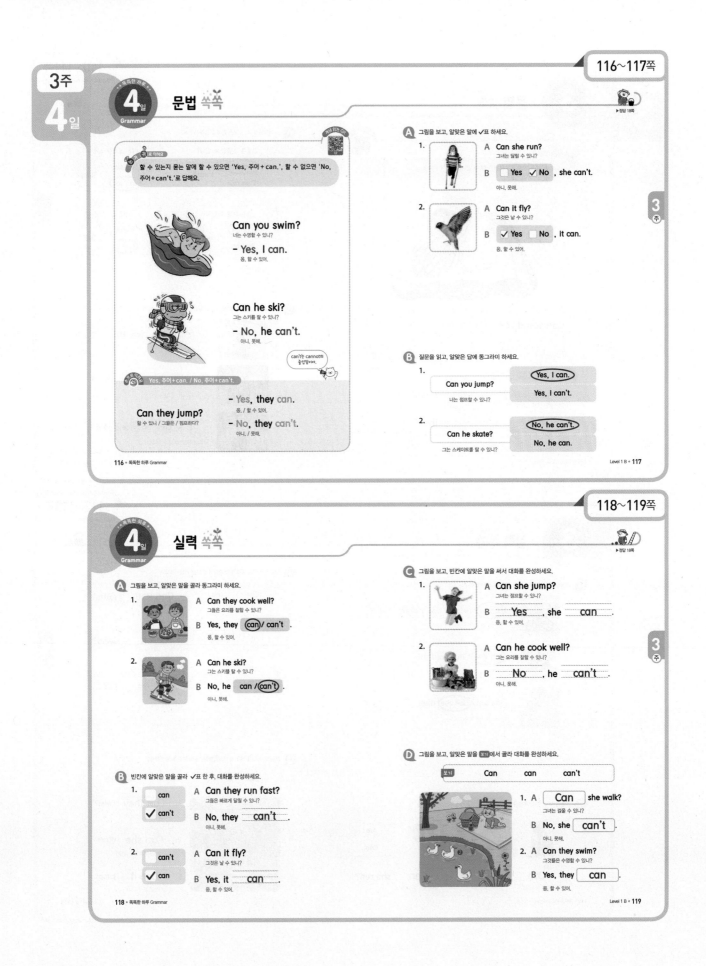

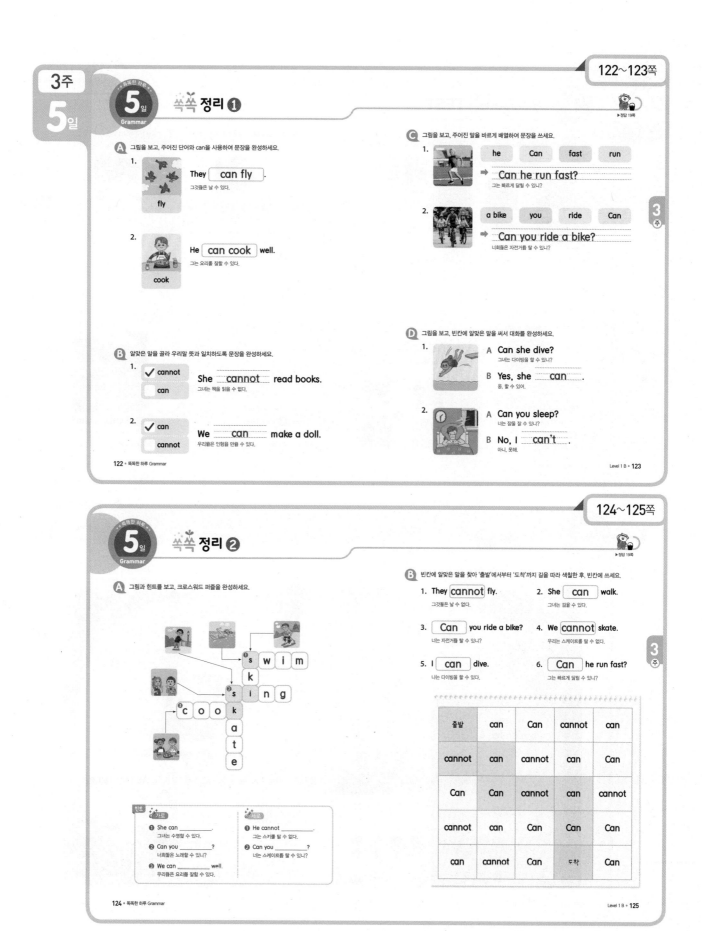

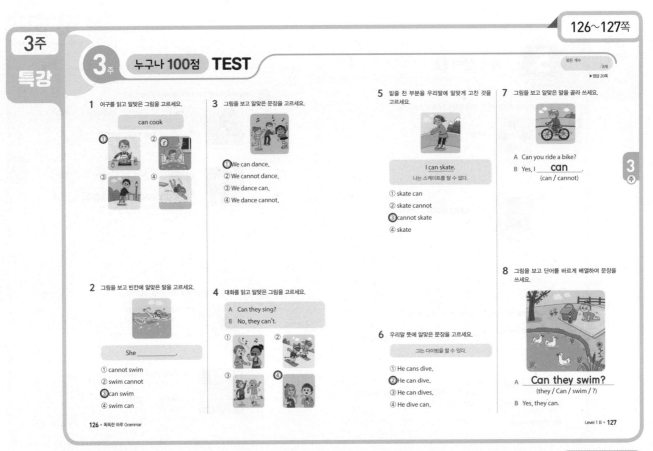

3주 특강

3주 누구나 100점 **TEST**

1 어구를 읽고 알맞은 그림을 고르세요.

can cook

2 그림을 보고 빈칸에 알맞은 말을 고르세요.

She _____.

① cannot swim
② swim cannot
③ can swim
④ swim can

3 그림을 보고 알맞은 문장을 고르세요.

① We can dance.
② We cannot dance.
③ We dance can.
④ We dance cannot.

4 대화를 읽고 알맞은 그림을 고르세요.

A Can they sing?
B No, they can't.

5 밑줄 친 부분을 우리말에 알맞게 고친 것을 고르세요.

I can skate.
나는 스케이트를 탈 수 없다.

① skate can
② skate cannot
③ cannot skate
④ skate

6 우리말 뜻에 알맞은 문장을 고르세요.

그는 다이빙을 할 수 있다.

① He cans dive.
② He can dive.
③ He can dives.
④ He dive can.

7 그림을 보고 알맞은 말을 골라 쓰세요.

A Can you ride a bike?
B Yes, I _can_.
(can / cannot)

8 그림을 보고 단어를 바르게 배열하여 문장을 쓰세요.

A _Can they swim?_
(they / Can / swim / ?)
B Yes, they can.

126 • 똑똑한 하루 Grammar

Level 1 B • 127

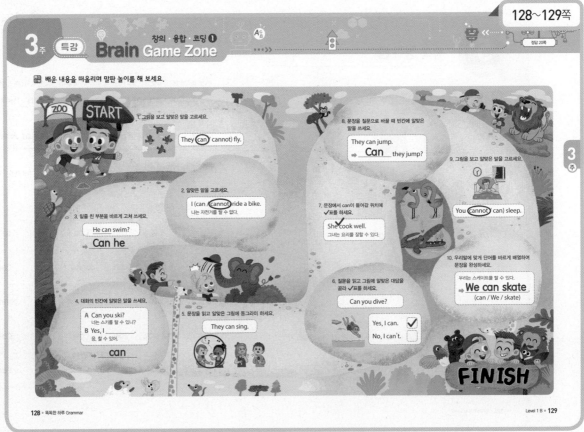

3주 특강 **Brain** Game Zone 창의·융합·코딩 ❶

배운 내용을 떠올리며 말판 놀이를 해 보세요.

ZOO START

1. 그림을 보고 알맞은 말을 고르세요.
They (can/ cannot) fly.

2. 알맞은 말을 고르세요.
I (can /cannot) ride a bike.
나는 자전거를 탈 수 있다.

3. 밑줄 친 부분을 바르게 고쳐 쓰세요.
He can swim?
➡ Can he

4. 대화의 빈칸에 알맞은 말을 쓰세요.
A Can you ski?
너는 스키를 탈 수 있니?
B Yes, I _____.
응, 할 수 있어.
➡ can

5. 문장을 읽고 알맞은 그림에 동그라미 하세요.
They can sing.

6. 질문을 읽고 그림에 알맞은 대답을 골라 ✔표를 하세요.
Can you dive?
Yes, I can. ✔
No, I can't.

7. 문장에서 can이 들어갈 위치에 ✔표를 하세요.
She ✔cook well.
그녀는 요리를 잘할 수 있다.

8. 문장을 질문으로 바꿀 때 빈칸에 알맞은 말을 쓰세요.
They can jump.
➡ _Can_ they jump?

9. 그림을 보고 알맞은 말을 고르세요.
You (cannot/ can) sleep.

10. 우리말에 맞게 단어를 바르게 배열하여 문장을 완성하세요.
우리는 스케이트를 탈 수 있다.
➡ _We can skate._
(can / We / skate)

FINISH

128 • 똑똑한 하루 Grammar

Level 1 B • 129

정답

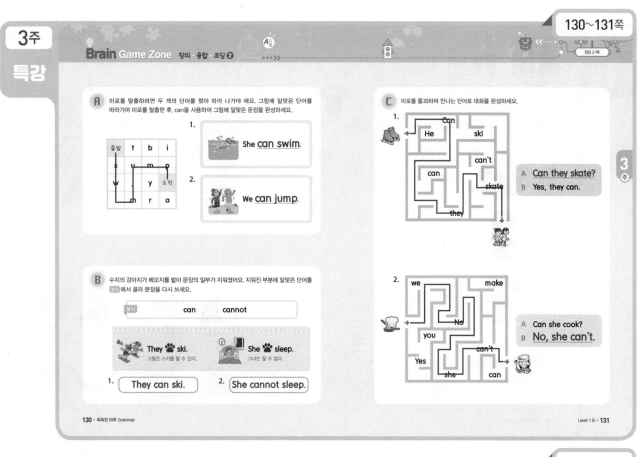

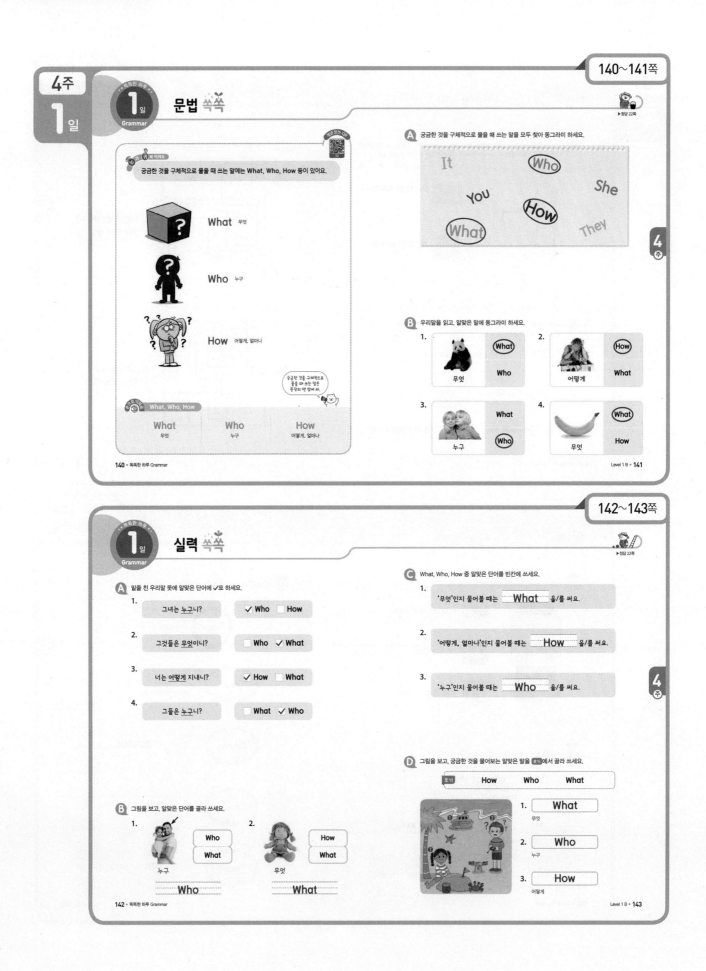

4주 2일

2일 Grammar 문법 쑥쑥

▶정답 23쪽

귀로 익혀요

What은 동물이나 사물이 '무엇'인지 물어볼 때 써요.
Who는 사람이 '누구'인지 물어볼 때 써요.

What is it?
그것은 무엇이니?
- It is a lion.
그것은 사자야.

Who is he?
그는 누구니?
- He is my dad.
그는 나의 아빠셔.

주어에 알맞은
be동사를 사용해야 해.

What, Who

What are they?
무엇이니 / 그것들은?

Who is she?
누구니 / 그녀는?

146 • 똑똑한 하루 Grammar

A 우리말을 읽고, 알맞은 말에 동그라미 하세요.

1. 누구 — (Who)
2. 무엇 — (What)
3. 무엇 — (What)
4. 누구 — (Who)

B 밑줄 친 부분에 알맞은 우리말 뜻에 ✓표 하세요.

1. **Who is she?** ✓ 누구 ☐ 무엇
2. **What are they?** ☐ 누구 ✓ 무엇
3. **What is it?** ☐ 누구 ✓ 무엇

Level 1 B • 147

2일 Grammar 실력 쑥쑥

▶정답 23쪽

A 그림을 보고, 알맞은 말에 ✓표 하세요.

1. ✓ Who ☐ What **are they?**
   그들은 누구니?
2. ☐ Who ✓ What **is it?**
   그것은 무엇이니?
3. ✓ Who ☐ What **is he?**
   그는 누구니?

B 그림을 보고, 빈칸에 알맞은 말을 골라 문장을 완성하세요.

1. Who / What
   What is it?
   그것은 무엇이니?
2. Who / What
   Who is she?
   그녀는 누구니?

C What 또는 Who를 써서 우리말 뜻에 맞는 문장을 완성하세요.

1. **Who** are you?
   너는 누구니?
2. **What** are they?
   그것들은 무엇이니?
3. **Who** is she?
   그녀는 누구니?

D 그림을 보고, 알맞은 말을 보기에서 골라 문장을 완성하세요.

보기 What   Who   What

1. **Who** is he?
   그는 누구니?
2. **What** are they?
   그것들은 무엇이니?
3. **What** is it?
   그것은 무엇이니?

148 • 똑똑한 하루 Grammar

Level 1 B • 149

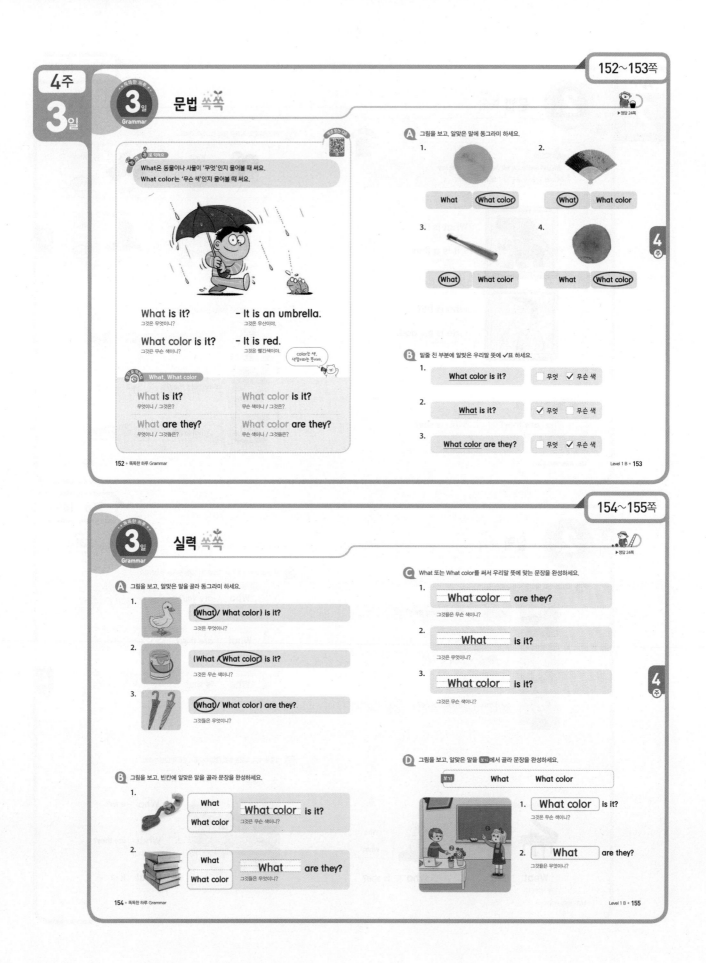

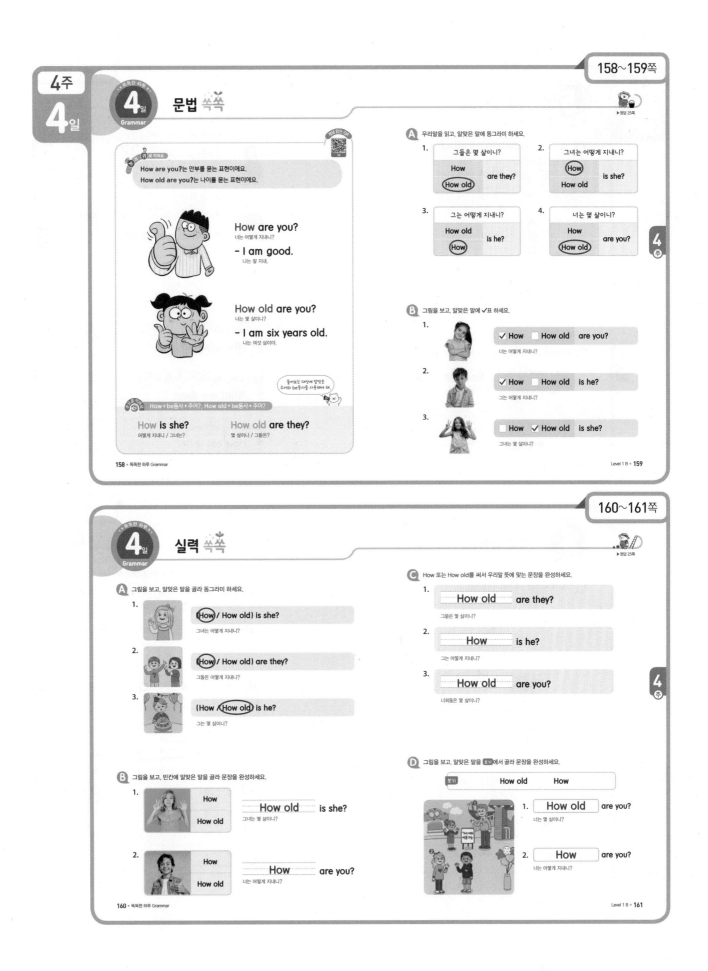

4일 문법 쏙쏙

> ▶정답 25쪽

개념 익혀요

How are you?는 안부를 묻는 표현이에요.
How old are you?는 나이를 묻는 표현이에요.

How are you?
너는 어떻게 지내니?
- I am good.
나는 잘 지내.

How old are you?
너는 몇 살이니?
- I am six years old.
나는 여섯 살이야.

물어보는 대상에 알맞은 주어와 be동사를 사용해야 해.

How+be동사+주어?, How old+be동사+주어?

How **is she?**
어떻게 지내니 / 그녀는?

How old **are they?**
몇 살이니 / 그들은?

158 • 똑똑한 하루 Grammar

A 우리말을 읽고, 알맞은 말에 동그라미 하세요.

1. 그들은 몇 살이니?
   How
   (How old) are they?

2. 그녀는 어떻게 지내니?
   (How) is she?
   How old

3. 그는 어떻게 지내니?
   How old
   (How) is he?

4. 너는 몇 살이니?
   How
   (How old) are you?

B 그림을 보고, 알맞은 말에 ✓표 하세요.

1. ✓ How ☐ How old are you?
   너는 어떻게 지내니?

2. ✓ How ☐ How old is he?
   그는 어떻게 지내니?

3. ☐ How ✓ How old is she?
   그녀는 몇 살이니?

Level 1 B • 159

4일 실력 쏙쏙

> ▶정답 25쪽

A 그림을 보고, 알맞은 말을 골라 동그라미 하세요.

1. ((How) / How old) is she?
   그녀는 어떻게 지내니?

2. ((How) / How old) are they?
   그들은 어떻게 지내니?

3. (How / (How old)) is he?
   그는 몇 살이니?

B 그림을 보고, 빈칸에 알맞은 말을 골라 문장을 완성하세요.

1. How / How old
   How old is she?
   그녀는 몇 살이니?

2. How / How old
   How are you?
   너는 어떻게 지내니?

C How 또는 How old를 써서 우리말 뜻에 맞는 문장을 완성하세요.

1. How old are they?
   그들은 몇 살이니?

2. How is he?
   그는 어떻게 지내니?

3. How old are you?
   너희들은 몇 살이니?

D 그림을 보고, 알맞은 말을 보기에서 골라 문장을 완성하세요.

보기   How old   How

1. How old are you?
   너는 몇 살이니?

2. How are you?
   너는 어떻게 지내니?

160 • 똑똑한 하루 Grammar

Level 1 B • 161

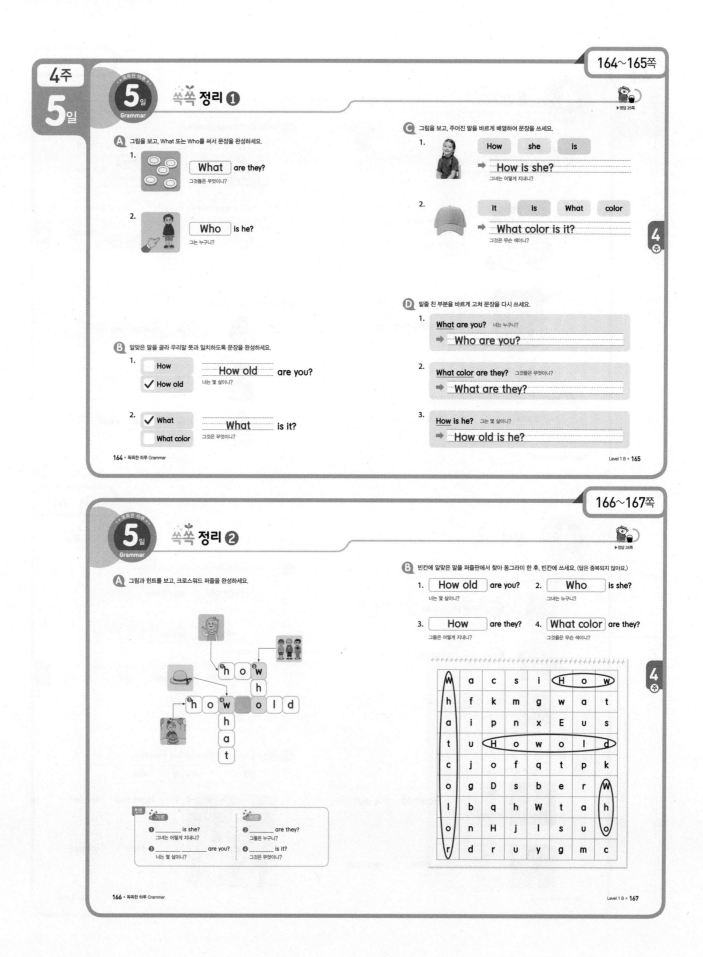

4주
5일

5일 Grammar

쏙쏙 **정리 ❶**

▶정답 26쪽

Ⓐ 그림을 보고, What 또는 Who를 써서 문장을 완성하세요.

1.
What are they?
그것들은 무엇이니?

2.
Who is he?
그는 누구니?

Ⓑ 알맞은 말을 골라 우리말 뜻과 일치하도록 문장을 완성하세요.

1.
☐ How
✓ How old
How old are you?
너는 몇 살이니?

2.
✓ What
☐ What color
What is it?
그것은 무엇이니?

Ⓒ 그림을 보고, 주어진 말을 바르게 배열하여 문장을 쓰세요.

1.
How she is
➡ **How is she?**
그녀는 어떻게 지내니?

2.
It is What color
➡ **What color is it?**
그것은 무슨 색이니?

Ⓓ 밑줄 친 부분을 바르게 고쳐 문장을 다시 쓰세요.

1.
What are you? 너는 누구니?
➡ **Who are you?**

2.
What color are they? 그것들은 무엇이니?
➡ **What are they?**

3.
How is he? 그는 몇 살이니?
➡ **How old is he?**

4주

5일 Grammar

쏙쏙 **정리 ❷**

▶정답 26쪽

Ⓐ 그림과 힌트를 보고, 크로스워드 퍼즐을 완성하세요.

h o w
h
h o w o l d
h
a
t

힌트
가로
❶ _____ is she?
그녀는 어떻게 지내니?

❸ _____ are you?
너는 몇 살이니?

세로
❷ _____ are they?
그들은 누구니?

❹ _____ is it?
그것은 무엇이니?

Ⓑ 빈칸에 알맞은 말을 퍼즐판에서 찾아 동그라미 한 후, 빈칸에 쓰세요. (답은 중복되지 않아요.)

1.
How old are you?
너는 몇 살이니?

2.
Who is she?
그녀는 누구니?

3.
How are they?
그들은 어떻게 지내니?

4.
What color are they?
그것들은 무슨 색이니?

W	a	c	s	i	H	o	w
h	f	k	m	g	w	a	t
a	i	p	n	x	E	u	s
t	u	H	o	w	o	l	d
c	j	o	f	q	t	p	k
o	g	D	s	b	e	r	W
l	b	q	h	W	t	a	h
o	n	H	j	l	s	u	o
r	d	r	u	y	g	m	c

4주

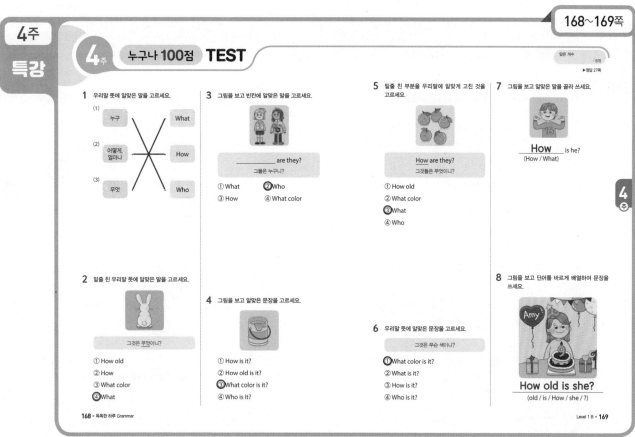

4주 특강

4주 누구나 100점 TEST

▶정답 27쪽

1 우리말 뜻에 알맞은 말을 고르세요.

(1) 누구 — What
(2) 어떻게, 얼마나 — How
(3) 무엇 — Who

2 밑줄 친 우리말 뜻에 알맞은 말을 고르세요.

그것은 무엇이니?

① How old
② How
③ What color
④ What ✓

3 그림을 보고 빈칸에 알맞은 말을 고르세요.

_____ are they?
그들은 누구니?

① What
② Who ✓
③ How
④ What color

4 그림을 보고 알맞은 문장을 고르세요.

① How is it?
② How old is it?
③ What color is it? ✓
④ Who is it?

5 밑줄 친 부분을 우리말에 알맞게 고친 것을 고르세요.

How are they?
그것들은 무엇이니?

① How old
② What color
③ What ✓
④ Who

6 우리말 뜻에 알맞은 문장을 고르세요.

그것은 무슨 색이니?

① What color is it? ✓
② What is it?
③ How is it?
④ Who is it?

7 그림을 보고 알맞은 말을 골라 쓰세요.

How is he?
(How / What)

8 그림을 보고 단어를 바르게 배열하여 문장을 쓰세요.

How old is she?
(old / is / How / she / ?)

168 • 똑똑한 하루 Grammar

Level 1 B • 169

4주 특강 창의·융합·코딩❶ Brain Game Zone

▶정답 27쪽

배운 내용을 떠올리며 말판 놀이를 해 보세요.

START

1. 그림을 보고 알맞은 말을 고르세요.
(Who / What) are they?

2. 밑줄 친 부분을 바르게 고쳐 쓰세요.
Who are they?
그것들은 무엇이니?
→ **What**

3. 문장을 읽고 알맞은 그림에 동그라미 하세요.
How are they?

4. 알맞은 말을 고르세요.
(What / What color) is it?
그것은 무슨 색이니?

5. 우리말에 맞게 단어를 바르게 배열하여 문장을 완성하세요.
그녀는 몇 살이니?
→ **How old is she** ?
(she / old / is / How)

6. 그림을 보고 알맞은 말을 고르세요.
(What / Who) is it?

7. 밑줄 친 부분을 바르게 고쳐 쓰세요.
How are you?
너는 몇 살이니?
→ **How old**

8. 문장을 읽고 알맞은 그림에 동그라미 하세요.
What color is it?

9. 우리말에 맞게 단어를 바르게 배열하여 문장을 완성하세요.
그는 누구니?
→ **Who is he** ?
(is / Who / he)

10. 알맞은 말을 고르세요.
(How / How old) are you?
너는 어떻게 지내니?

FINISH

170 • 똑똑한 하루 Grammar

Level 1 B • 171

4주
특강

Brain Game Zone 창의·융합·코딩 ❷

A 지호가 단어 카드를 섞어 문장을 숨겨놓았어요. 단서를 보고, 단어를 순서대로 배열하여 문장을 쓰세요.

1. 단서 B와 A는 붙어 있지 않다.
D는 A의 왼쪽에 있다.
C는 A의 오른쪽에 있다.

B D A C
➡ What color is it ?

A	is	B	What
C	it	D	color

2. 단서 A와 C는 붙어있지 않다.
C는 오른쪽에 아무것도 없다.
D는 B보다 왼쪽에 있다.

D A B C
➡ How old are you?

A	old	B	are
C	you	D	How

B 우주 비행사가 우주에 흩어진 단어나 어구와 우리말을 연결해야 해요. 바르게 연결할 수 있도록 사다리에 가로선을 그어 보세요.

1. Who 2. What color 3. What 4. How

| 무엇 | 누구 | 얼마나, 어떻게 | 무슨 색 |

C 우리말에 맞게 문장을 쓸 때 필요하지 않은 단어에 동그라미 한 후, 동그라미 한 단어들을 모아서 문장을 완성하세요.

1. 그것은 무엇이니?
is ? it What (How)

2. 너는 어떻게 지내니?
are (old) you ? How

3. 그는 누구니?
? is he Who (are)

4. 그것은 무슨 색이니?
(you) color it What is ?

➡ How old are you ?

172 · 똑똑한 하루 Grammar

Level 1 B · 173

Brain Game Zone 창의·융합·코딩 ❸

Step A 다음 중 알맞은 알파벳을 골라 단어를 완성하세요.

1. W h a t
무엇

2. Ho W
어떻게, 얼마나

3. Wh O
누구

Step B Step A 의 단어를 사용하여 문장을 완성하세요.

1. What are they?
그것들은 무엇이니?

2. How old are you?
너는 몇 살이니?

3. Who is she?
그녀는 누구니?

Step C 힌트 를 참고하여 거울에 비친 단어나 어구를 바르게 써서 문장을 완성하세요.

힌트
woH ➡ How

1. tahW color ➡ What color is it?
그것은 무슨 색이니?

2. ohW ➡ Who are they?
그들은 누구니?

3. woH ➡ How is he?
그는 어떻게 지내니?

4. tahW ➡ What is it?
그것은 무엇이니?

174 · 똑똑한 하루 Grammar

Level 1 B · 175

매일 조금씩 **공부력** UP!

똑똑한 하루
시리즈

쉽다!

초등학생에게 꼭 필요한 지식을
학습 만화, 게임, 퍼즐 등을 통한
'비주얼 학습'으로 쉽게 공부하고 이해!

빠르다!

하루 10분, 주 5일 완성의
커리큘럼으로 빠르고 부담 없이
초등 기초 학습능력 향상!

재미있다!

교과서는 물론 생활 속에서
쉽게 접할 수 있는 다양한 소재를 활용해
스스로 재미있게 학습!

더 새롭게! 더 다양하게! 전과목 시리즈로 돌아온 '똑똑한 하루'

국어 (예비초~초6)

예비초~초6 각 A·B
교재별 14권

예비초: 예비초 A·B
초1~초6: 1A~4C
14권

영어 (예비초~초6)

초3~초6 Level 1A~4B
8권

Starter A·B
1A~3B
8권

수학 (예비초~초6)

초1~초6 1·2학기
12권

예비초~초6 각 A·B
14권

초1~초6 각 A·B
12권

봄·여름
가을·겨울 (초1~초2) 안전 (초1~초2)

봄·여름·가을·겨울
각 2권 / 8권

초1~초2
2권

사회·과학 (초3~초6)

학기별 구성
사회·과학 각 8권

정답은
이안에
있어!

수학 전문 교재

● **연산 학습**

빅터면산　　　　　　　　　예비초~6학년, 총 20권

창의융합 빅터면산　　　　　예비초~4학년, 총 16권

● **개념 학습**

개념클릭 해법수학　　　　　1~6학년, 학기용

● **수준별 수학 전문서**

해결의법칙(개념/유형/응용)　1~6학년, 학기용

● **서술형·문장제 문제해결서**

수학도 독해가 힘이다　　　　1~6학년, 학기용

초등 문해력 독해가 힘이다 문장제편　1~6학년, 단계별

● **단원평가 대비**

수학 단원평가　　　　　　　1~6학년, 학기용

● **단기완성 학습**

초등 수학전략　　　　　　　1~6학년, 학기용

● **상위권 학습**

최고수준S　　　　　　　　　1~6학년, 학기용

최고수준 수학　　　　　　　1~6학년, 학기용

최강 TOT 수학　　　　　　　1~6학년, 학년용

● **경시대회 대비**

해법 수학경시대회 기출문제　1~6학년, 학기용

국가수준 시험 대비 교재

● **해법 기초학력 진단평가 문제집**　2~6학년·중1 신입생, 총 6권

● **국가수준 학업성취도평가 문제집**　6학년

예비 중등 교재

● **해법 반편성 배치고사 예상문제**　6학년

● **해법 신입생 시리즈(수학/영어)**　6학년

맞춤형 학교 시험대비 교재

● **열공 전과목 단원평가**　　　1~6학년, 학기용(1학기 2~6년)

한자 교재

● **해법 NEW 한자능력검정시험 자격증 한번에 따기**　6~3급, 총 8권

● **씽씽 한자 자격시험**　　　　8~7급, 총 2권

● **한자전략**　　　　　　　　　1~6학년, 총 6단계

배움으로 행복한 내일을 꿈꾸는
천재교육 커뮤니티 안내 ...

 교재 안내부터 구매까지 한 번에!
천재교육 홈페이지

자사가 발행하는 참고서, 교과서에 대한 소개는 물론
도서 구매도 할 수 있습니다. 회원에게 지급되는 별을 모아
다양한 상품 응모에도 도전해 보세요!

 다양한 교육 꿀팁에 깜짝 이벤트는 덤!
천재교육 인스타그램

천재교육의 새롭고 중요한 소식을 가장 먼저 접하고 싶다면?
천재교육 인스타그램 팔로우가 필수!
깜짝 이벤트도 수시로 진행되니 놓치지 마세요!

 수업이 편리해지는
천재교육 ACA 사이트

오직 선생님만을 위한, 천재교육 모든 교재에 대한 정보가 담긴
아카 사이트에서는 다양한 수업자료 및 부가 자료는 물론
시험 출제에 필요한 문제도 다운로드하실 수 있습니다.

https://aca.chunjae.co.kr

 천재교육을 사랑하는 샘들의 모임
천사샘

학원 강사, 공부방 선생님이시라면 누구나 가입할 수 있는 천사샘!
교재 개발 및 평가를 통해 교재 검토진으로 참여할 수 있는 기회는 물론
다양한 교사용 교재 증정 이벤트가 선생님을 기다립니다.

 아이와 함께 성장하는 학부모들의 모임공간
튠맘 학습연구소

튠맘 학습연구소는 초·중등 학부모를 대상으로 다양한 이벤트와 함께
교재 리뷰 및 학습 정보를 제공하는 네이버 카페입니다.
초등학생, 중학생 자녀를 둔 학부모님이라면 튠맘 학습연구소로 오세요!